森文庫

ベティ・L・ハラガン著
福沢恵子　水野谷悦子共訳

ビジネス・ゲーム

誰も教えてくれなかった女性の働き方

光文社

文庫版まえがき

『ビジネス・ゲーム』の翻訳初版が発刊されたのは1993年の春でした。それから15年余の歳月を経て、文庫版として新たに刊行されることになったことは訳者として望外の喜びです。

本書はアメリカで1977年に出版され、100万部を超えるベストセラーとなった「Games Mother Never Taught You」(母が教えてくれなかったゲーム)を原著者、ベティ・L・ハラガン(Betty Lehan Harragan)の了解を得て、日本の状況に対応する形でまとめたものです。

私は20年近く出版に携わってきましたが、これほど様々な意味で「縁《えにし》」を感じさせてくれる本はありません。その理由を具体的に述べるとしたら、次のような事柄が挙げられます。

（1）本書の出版以降、類書が数多く出版されている

本書では「ビジネスとはゲームである」と定義し、「子ども時代に親しんできたゲームは男女で大きく異なる。それが後にビジネス社会の中での振舞いの差につながっていく」という前提で、女性が企業社会で生き抜くコツを伝えています。このような論理展開は後に出版された本にも大きな影響を与えました。その中でも主なものを以下に挙げておきます。

◆『女性《あなた》の知らない7つのルール～男たちのビジネス社会で賢く生きる法～』
エイドリアン・メンデル著　坂野尚子訳　ダイヤモンド社　1997年
"How Men Think : The Seven Essential Rules for Making It in a Man's World" by Adrienne Mendell

サイコセラピストである著者が、実際に感じたジェンダーギャップを通じて、仕事の場での「ルール」を解き明かしています。ビジネスを「ゲーム」と見なす部分に本書と共通点が見られます。

◆『私がマイクロソフトで学んだこと』
ジュリー・ビック著　三浦明美訳　アスキー出版局　1997年
“All I Really Need to Know in Business I Learned at Microsoft” by Julie Bick
マイクロソフト社でスピード昇進を果たした著者が、組織の中で生き残る方法を実践的に指南。マイクロソフト社という限定的な環境ではありますが、ビジネスの現場の臨場感を感じさせてくれます。「ゲームに実際に参加した体験談」とでも言うべき著作です。

◆『会社のルール～男は「野球」で、女は「ままごと」で仕事のオキテを学んだ～』
パット・ハイム／スーザン・K・ゴラント著　坂東智子訳　ディスカヴァー・トゥエンティワン　2008年
“Hardball for Women : Winning at the Game of Business” by Pat Heim & Susan K. Golant
ベティ・ハラガンの本を明らかに意識して作られた本。時間の経過に伴って社会の変化が進んだことを踏まえ、新たな「ルール」を提唱しています。

（2）訳書の発刊から長期間にわたって読み継がれている

通常「ビジネス書の『賞味期限』は短くて1年、長くても5年」と言われています。その理由は、ビジネス環境そのものが大きく変化する可能性が高いこと、さらには読者のニーズもそれに応じて変わってくることなどからです。しかし、本書は発刊から10年以上が経過した時点でも多くの読者を得ていた点が非常に特徴的です。

本書は一度絶版となったことがあるのですが、その時期に出会ったある女性管理職は、全ページのコピーを製本したものを「私のバイブル」と言って持ち歩いていました。彼女は私が訳者のひとりであることを知らずにそのコピー版『ビジネス・ゲーム』を見せてくれたのですが、途中で事実が分かりバツの悪そうな笑いを浮かべました。しかし、その時に私が感じたことは「彼女の行為は著作権法に触れるのではないか」ということよりも「やはりこの本はこれほどまでに必要とされているのだ」ということでした。

(3) 本書の発刊以後、若い世代が確実に育ってきている

今回、文庫版の「あとがき」を書いてくださった経済評論家の勝間和代さんは私より10歳年下ですが、社会人になりたての頃に『ビジネス・ゲーム』を読んで、働き方がガラリと変わったそうです。

その後勝間さんは1997年にワーキングマザーのためのWEBサイト「ムギ畑」を仲間と共に立ち上げ、日本の働く母親に「時間や空間を超えた交流の場」を提供しました。この功績で勝間さんは2005年にウォールストリート・ジャーナルによる「世界の最も注目すべき女性50人」に選ばれ、また翌年にはエイボン女性大賞も受賞しています。

このような「ニューウェーブ」とでも言うべき若い世代が、本書に多大な影響を受けて、そこから得られた知識やノウハウを実生活に活かしているということは、時代の変化を象徴しているように思われます。

2008年現在、女性の管理職の比率は、係長クラスで約10%、課長クラスで約5%、部長クラスで約3%とまだまだ少数派ではあるものの、15年前に比較すると約2倍に増えています。しかし、彼女たちの多くは適切なロールモデルがないままに「手探り状態」でパイオニア的な人生を送ることを余儀なくされています。

私は企業で働く女性たちを対象とする研修やヒアリングを行う機会がありますが、そこでも「お手本がほしい」「見えざるルールを読み解くスキルを身につけたい」といった声をよく聞きます。そんな時こそ、本書を活用して何らかのヒントを見つけてもらえることができたらと思います。

ところで、ベストセラーに反論や疑問はつきものです。本書の場合、著者が指摘する「ライン」（＝いわゆる経営に直結する部署）と「スタッフ」（＝総務や人事などラインのサポートをする部署）の仕事に対する考え方については「スタッフの仕事を『行き止まり』と見なしているようで賛同できない」という意見や「何が何でも出世することが重要だ、という姿勢はいかがなものか」といった声も寄せられました。

ただ、訳者の立場から言えば、これは「ひとつの視点」として考えるべきであり、「それが唯一絶対の考えとは限らない」という読み方をしていただくのが適切ではないかと思っています。

著者であるベティ・ハラガンは男性には当然のルールとして理解されていても、女性にはほとんど語られることのなかったルールについて解説しているのであって、「全ての女性がそのルールに従わなくてはならない」と強制しているわけではありません。ただし「組織の中で影響力を持つ立場になりたいと思うのであれば、ビジネス・ゲームのルールを熟知しておく必要がある」と説いているのです。

彼女とは初版が発刊される前の1992年に直接面談の機会がありましたが、その際に「私の本が日本の女性の役に立つことは嬉しいけれど、それぞれの国には異なった状況があるはずだから、私の書いたことがそのまま役に立つかどうかは分からない。いつかあなた自身が日本に即した『ビジネス・ゲーム』を書いてはどうか」という提案を受けました。その後、1998年にベティ・ハラガンは世を去りましたが、今原著を改めて読み返してみても30年前の著作が決して古くはならず、むしろ、現在の日本の状況にフィットしていることに驚かされます。

私が仕事を始めたばかりの頃、先輩からこんな言葉を贈られました。
「ベストセラーはすばらしい。しかし、ロングセラーはもっとすばらしい」
当時の私は、自分自身がベストセラーやロングセラーに関わるとは全く思っていなかったので、この世界に足を踏み入れたばかりの新人に対する「はなむけの言葉」のひとつとしか思わなかったのですが、今ならこの言葉の意味を改めて理解できるように思います。

ひとつの著作が時代を超えて多くの人に読み継がれ、そしてそこからまた新たな展開が広がっていくことのすばらしさ――1冊の本の持つ可能性を実感させてくれた原著者であるベティ・ハラガン、これまでの読者のみなさん、さらには今回初めて本書を手にとってくださった方々に心からの感謝の気持ちをお伝えすることで文庫版まえがきとさせていただきます。

訳者を代表して　福沢　恵子

ビジネス・ゲーム　目次

第2部　あなたのキャリア・プラン

第1部　まず、ゲームの基本を知ろう

第1章　ビジネス社会の基礎知識

ビジネスとはゲームである

「やりがいのある仕事なら、昇進なんてどうでもいいわ」「収入面はともかく、私の能力を生かせる会社で働きたい」――あなたはこんなことを思ったことはありませんか？

もし、そうならこの本はまさにあなたのための本です。最後まで読み通していただければ、「やりがい」や「能力」だけを重視した仕事選びがどれだけあぶなっかしいものかがよく分かっていただけると思います。

企業で25年以上にわたって働き、その後はキャリア・コンサルタントとして、多くの女性のケースを見てきた私は、女性の仕事に対する姿勢にはまだまだ多くの問題があると思っています。それは、個人の能力というよりは、女性が男性中心のビジネス社会でどのように振舞ったらよいかをあまりに知らないままで働いているという点においてです。

ビジネスの社会では、単に誠実に務めることだけが全てではありません。集団の中でどのように動くか。このことが、あなたの仕事の内容やチャンスや昇進に密接にかかわってくるのです。これを私は「ビジネス・ゲーム」と呼んでいます。

この本は、ゲームにこれから参加する女性と、既に参加しているけれどもっと洗練されたプレイができるようになりたいと思っている女性のために書いたものです。

私がこれまで出会った女性の多くは、十分な能力や意欲を持ちながら、それにふさわしい仕事内容や地位、収入を得ていません。それは一体なぜでしょうか？　理由は簡単、彼女たちは、ビジネス社会でどう働くかという基本的な状況分析に欠けていたからです。

アメリカ合衆国では、1964年に公民権法第7編が制定され、女性をはじめとするマイノリティを差別することを禁じるようになりました。しかし、法律がいくらできたところで、実際にゲームに参加する時にそのルールを知らなければ、試合で負けてしまうのは当然です。働く女性たちは、どのようにプレイをしたらよいかは一切教えてもらえないままに、ゲームへの参加だけを許されました。したがって、彼女たちはプレイヤーとしては二流であり、職場ではせいぜい主任クラスにまでしか昇進できていません。しかし、ゲームの技術をみがけば、女性にももっと可能性が開けるのです。そこで、この本ではその秘訣をお教えしましょう。

「能力主義」のウソ

女性と仕事について語る時、まず「能力」が問題にされます。「能力さえあれば、女性も男性と同等に昇進できる」といった類の言葉は、働く女性なら何度も聞いているのではないでしょうか。「能力」と同時に云々《うんぬん》されるのは「資格」や「学歴」です。よく、キャリア・アップをはかるために女性が大学や大学院に戻って学位を取ったり、資格に挑戦したりするケースが見られます。しかし、これらは必ずしも、本人の希望する仕事や地位に結びつかなかったりします。それはなぜなのでしょうか？　私はここでまた、「ビジネス・ゲーム」のルールを知らない女性の姿を見ることができます。

女性の多くは、「自分に能力さえあれば、キャリアを追求することができる」と信じてしまいがちです。しかし、それは必ずしも事実とはいえないのです。

どんなにたくさんの仕事をこなしても、どんなにすばらしい業績を上げても、認められない存在の人はいるものです。それは、何も女性に限ったことではありません。男性の中にもゲームのルールにうとい人はいるからです。しかし、割合からいえば、このような巡り合わせになってしまうのは圧倒的に女性に多いといえるでしょう。これは、単に性差別があるというよりも組織で働く時の基本的なメンタリティの違いからくるものではないかと私は思います。

男性の場合、幼いころから野球やサッカーなどのチームで行なうスポーツに参加することで、組織の中の対人関係の基本を知らず知らずのうちに身につけていきます。したがって、どんなに誠意をつくしても相手に通じないことがあることや、上司が自分を認めてくれないことに対して、必要以上に動揺する可能性は少ないのです。

しかし、女性の場合、「競争する」ということにあまりに不慣れなために、自分の予想に反した状況が起こった時に、すっかり動揺してどのように対処してよいか途方にくれてしまうことが多いのです。つまり、**企業の中のゲームに勝ち残るためには、仕事をこなす能力以前に、状況を判断できる力、情報を収集する力が必要なのです。**

女性は会社の「外国人」である

ほとんどの女性にとって、会社とは男性が先住民である「外国」です。ひとつの国にはその国ならではの風俗、習慣、言語がありますし、そこで暮らす人々は、その土地だけで通用する行動様式を身につけて生きています。道路には現地人にだけ分かる言葉で書かれた標識があちこちに掲げられているのですが、よそ者である女性には判読できません。場合によっては標識そのものが存在しなかったりします。

男性の現地人は、あなたが旅行者である限りは親切ですが、いったんそこに住みつこうとしたら、途端にそっけなくなります。「外国」で仕事を始めようとするあなたは、周囲の状況を説明してくれる人もいない状態でおそるおそる歩き回らなくてはなりません。そこには、地図もなく、あたりはまるでジャングルのように見えます。

しかし、ビジネスという国は決してジャングルなどではありません。地図がないのは、そこに住みついた人にとってはその必要がないからなのです。現地人である男性は、標識がなくても道に迷うことなくスイスイと目的地にたどり着けます。なぜなら、彼らの頭の中には、標識が記憶されているからです。

このような状況で、女性はどうしたらよいのでしょうか？　答えはもう、お分かりでしょう。その国で生きていくつもりなら、その国の言葉を学ぶことが先決問題です。これは、ちょうどゲームのルールを知ることにも通じるのです。次の章ではその具体的な方法について述べることにしましょう。

第2章　会社で働くことの本質

会社とは「軍隊」である

「会社と軍隊は同じ」――こんなことを言ったら、あなたは目を丸くするでしょうか？　しかし、企業と軍隊はきわめて似通った性質を持っています。そして、これこそがビジネス社会の文化なのです。ビジネスと軍隊は次のような点で共通点があるといえます。

①目的が明確であるということ。軍隊は国を守るため、具体的には戦争に勝つために存在し、企業は利益を上げるために存在する。

②大きな組織がいくつものセクションに分割され、それぞれのセクションに管理する人間が配置されている。

③組織の中では一種の「チーム・スピリット」が要求される。自分の上官・上司に対して逆らうことは許されない。

男性は少年時代から、多かれ少なかれ「軍隊的」なものに親しむ環境を生きています。チームでプレイするスポーツしかり、与えられるおもちゃもしかり。したがって、いざ企業社会に入っても、この文化にそれほど違和感を感じることは少ないのです。しかし、女性の場合、いわゆる「女らしい」教育を受けていたら、おそらく軍隊的な文化に接するチャンスはほとんどないでしょう。

女性は、長い間、戦争や軍隊とは男性のもので、彼女たちは慰問の手紙を書いたり、クッキーを送ったり、赤十字のボランティアをしたりという「銃後」を守ることが自分の仕事だと思い込まされてきました。ですから、会社が軍隊と似たようなシステムで成り立っていることや、そのような環境でいつ何をするべきなのかを知らないままに放っておかれたのです。

あなたは「軍隊」のどこにいるか

会社の仕組みが軍隊であるならば、それが実際にはどうなっているかを説明しなくてはなりません。

まず、将軍はピラミッドの頂点にいます。これは会社でいえばＣＥＯ（チーフ・エグゼキュティブ・オフィサー、経営最高責任者とも呼ばれます）――つまり、その会社の方針の決定権を握っている人です。

ピラミッドの底辺には、たくさんの兵隊がいます。そして、トップと底辺の間はいくつもの層に分かれていて、将軍の下には、中将、小将、大佐、中佐と続きます。層の下に行くほど力は弱くなり、数は増えていきます。

このピラミッドでは、力の流れは基本的には上から下に流れるようになっています。

もし、仕事の量が一人の人間にとって多すぎる場合は、それはいくつもに分割されます。トップの将軍は、部下に自分の仕事の一部分を任せ、それぞれの仕事を直接権限を持たせて実行させます。仕事を与えられた部下は、その仕事が自分の手に余る場合は、さらにその部下に実行させることになります。このように上級のランクの者が下級のランクの者に権限を委譲して、全体の仕事を遂行させていくのです。

この構造の中では、ピラミッドのどの層にも新しい層を付け加えることができます。つまり、会社ではいつでも新しいセクションを作ることが可能であるということです。その場合、ピラミッドは高くなりますが、それぞれの層の距離は変わりません。ということは、新しい層ができると、必然的に一番下の層をさらに下に追いやることになります。つまり、会社のシステムの中では、これは相対的には、降格を意味することになるのです。

どのレベルの層でもこの種の降格の可能性はあります。その場合、指示された仕事の内容に対して、権限や責任、地位は減少していきます。

重要な仕事、難しい仕事は、一般的には分割されて振り分けられます。なぜ、分割する必要性があるかというと、任された人間の能力を越えるような仕事は与えることができないからです。

さて、このように考えていくと、あなたは軍隊のピラミッドのどこに位置しているでしょうか？

あなたが取るべき行動は？

入隊したばかりの新米二等兵は、上司を敬い、従順に振舞うのは、相手の個人的性格や業績、能力などではなく、単に「階級」によるものである、ということをまず学びます。これは、言葉を換えていえば、**あなたの上司がとんでもないイヤなやつであっても、彼（女）が上司であるかぎり、あなたは、尊敬し服従しなくてはならない、**ということなのです。なぜなら、それこそがヒエラルキー（＝階級）の仕組みなのですから。

ヒエラルキーの構造は、抽象的かつ非人格的にできています。そこには行なわれるべき仕事とそれに必要な権威だけが存在するのです。人間はいくら消費されても構わないけれど、その構造そのものは滅びないで残ります。つまり、その仕事をするのは、あなたでもよいし、誰か別の人でもよいのです。

女性がしばしば陥りやすい誤解のひとつに、「とにかく目の前の仕事を片付けなくてはならない」という思い込みがあります。これは、なまじ責任感があり、能力もある人についていえることですが、彼女たちは、本来自分が果たすべき仕事よりもさらに沢山の仕事を自ら望んでこなし、その結果疲れ果ててしまっています。このことに対しては、しばしば「彼女はよくやっている」「がんばりやだ」というお褒めの言葉が与えられたりしますが、それは、多くの場合、単なる言葉の上だけの称賛であり、昇進や昇給などの実質の伴ったものではありません。

あなたが自分に与えられた機能や責任の範囲を越えて仕事をしてしまうことは、実は会社に「食いもの」にされてしまうことです。女性はよく善意から（もしくは「助け合い」の精神から）余分の仕事を引き受けてしまいがちですが、これは十分慎重に行なうべきことです。

ピラミッドの中に生きている人間（あなたはまさしくその一人です！）は、**自分の属する階級の仕事をきちんとこなしてこそ評価されます。**誰か別の人の仕事をしてあげても、それはあなたの仕事の評価にはなりません。仕事が完了した時、それは誰がやったかは問題ではないのです。仕事熱心な女性は、その情熱のあまり「仕事が自分を必要としている」と勘違いをしてしまい、無駄なエネルギーを使ってしまう傾向があります。しかし、ここでもう一度はっきり言っておきますが、**組織の中では「自分の仕事」をすることこそが大切なのです。**

「軍隊」の中での階級制度

会社と軍隊が似たような性質を持った組織であることは既に述べました。このことは、ピラミッドの構造だけでなく、人事的な面にもあてはまります。つまり、会社も軍隊もキャリア組とノンキャリア組に分かれるということです。この差は給料、社会的地位、責任、昇進の可能性などに常についてまわります。

軍隊でいえば、将校と下士官では、はっきりとした違いがあります。将校の候補生は将来の司令官であり、リーダーになるべく育てられます。下士官は将校よりも下のランクの昇進や権限しか与えられていません。もし、何か特別の手柄を立てて、将校に匹敵するランクまで昇進できた場合も、下士官が将校になるという異動はまずありえません。彼らはおそらく将校以外の何か別のランクに昇進することになるでしょう。つまり、下士官はどんな能力があり、どんなに長時間働いても決して将校になることはできないのです。

現実の会社では、この事実ははっきりと存在していながら、なかなか明らかにされていません。会社側としては、社員には「全ての人にチャンスが開かれている」とい

「命令の鎖」のピラミッド

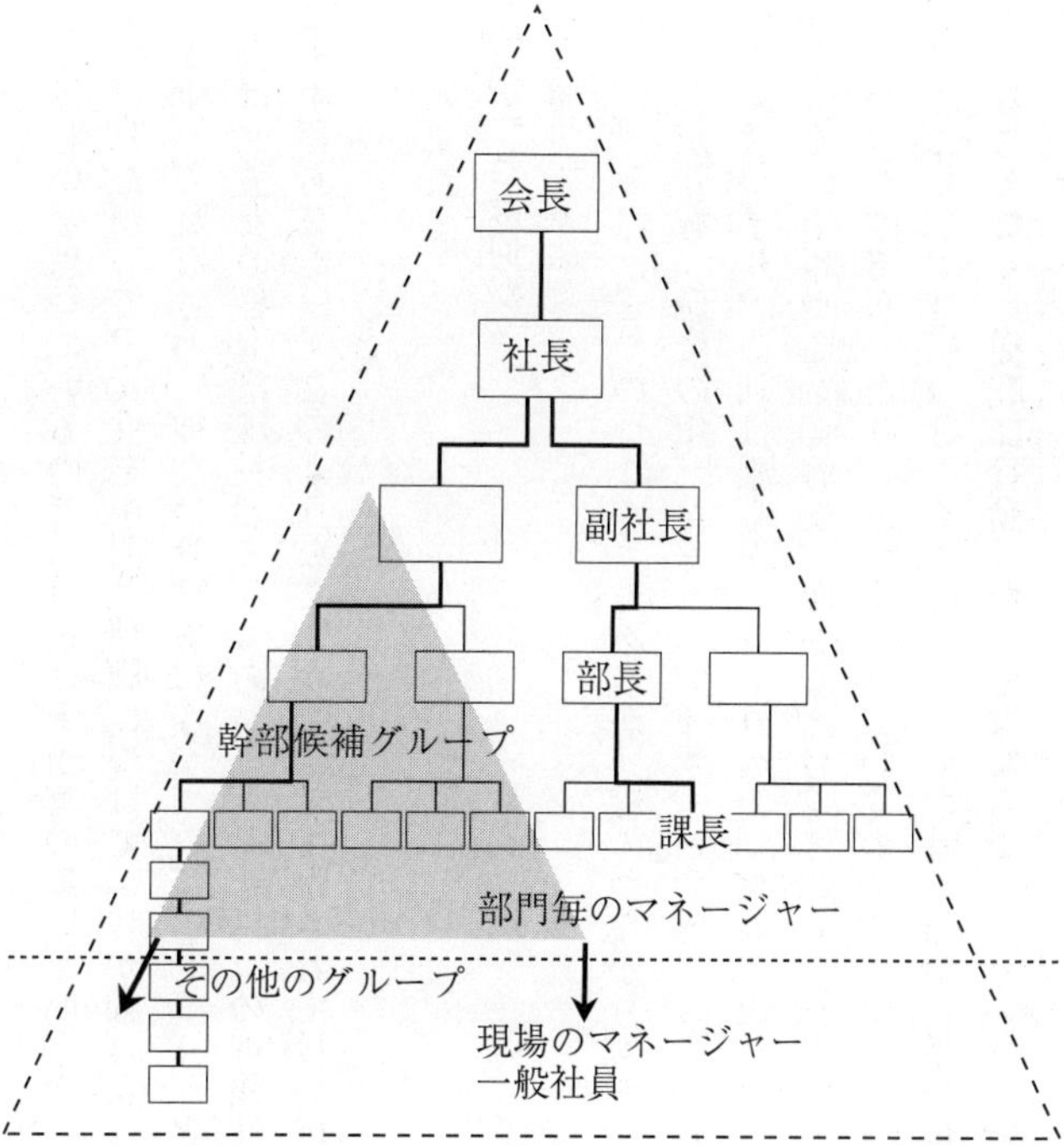

カゲの部分は「ミニ・ピラミッド」というべきものです。
ピラミッドのどの部分にもこのような小さなピラミッドが付け加えられて、必要に応じて機能します。

う誤解をしてほしいと思っているので、将校と下士官の違いを明らかにすることを好まないのです。したがって、女性を中間管理職につけて「我が社は女性も差別せず、登用しています。ご覧なさい、彼女は管理職になっているでしょう」という態度を取りますが、実は、彼女の昇進は課長どまりであって、それ以上の可能性はほとんどなかったりします。あなたは、このようなまやかしにごまかされてはいけません。

「命令の鎖」とは何か

組織のピラミッドには、横のつながりもあるが、縦のつながりもあります。軍隊ではこの縦のつながりを「命令の鎖」と呼んでいます。この鎖のひとつひとつの「つなぎ」は人間です。つまり、これは誰もがそれぞれの上司を持つということなのです。仕事における全ての情報や命令、報告、決断などは、この鎖を通じて、ひとつの層から次の層へ上がったり下がったりして伝えられていくのです。

あなたが、ここでまず身につけなくてはならないのは「**組織の中では、権威に向かって口答えすることなく、従順に行動しなくてはならない**」ということです。これは、慣れるまでは非常に苦痛ですが、いったん訓練されてしまうと、人間というものは、責任の範囲がどんなに小さくても、自分が他人に対して権力を振るえる立場になることをこよなく愛するようになります。権威のレベルが低ければ低いほど、人は自分に与えられた権力に固執し、濫用《らんよう》するものです。あなたは、おそらく下級の管理職から、強情でしつこい命令を受けた経験があるのではありませんか？

彼（女）があなたの上司である限り、その権威はあなたにとってまず従うべきものとなります。つきつめていってしまえば「会社で働くということは直属の上司に首ねっこを握られている状態にある」ということなのです。この現実をきちんと把握しないで、あなたが上司を無視したり、批判したら、あなたはたちまち、「会社のゲーム」で反則をしたことになります。

それでは、このゲームに成功するためにはどうしたらよいのでしょうか？　方法は2つあります。

①あなたの直属の上司を操って、あなたに有利になるように導く。
②もし、誰の下で働くかを選べる余地がある場合は、注意深く上司の人柄を観察してから決断を下す。（ただし、これは常に可能とは限らない。往々にして、誰が

上司になるかは部下の意思とは関係なく決定されるので)

いずれにしても、あなたが仕事をしていく上で最も重要なことは、直属の上司との人間関係です。彼(女)とうまくやっていくことが、あなたの将来を決めるといっても過言ではありません。それが非常に難しいという場合は、思いきって転職をしてしまうのもひとつの方法です。なぜなら、手の下しようのない人間関係の中でどんなにもがいてもほとんど何の意味もないばかりか、疲れきってしまうことが多いからです。

ビジネス社会のルールでは、あなたが上司についての不満を人事部に訴えたとしてもそれは、あなたに有利にはならず、必ず上司のもとに情報がもたらされます。あなたの直属の上司を飛び越えてそれよりも上のレベルの人間のところにいっても、その人は、あなたにかかわりあいを持つことは自分の権限ではないことを知っているので何とも手の下しようがないのです。

軍隊においては上官の命令や権威に逆らうことは罰則の対象となります。ビジネスの社会においては明確な「罰則」はありませんが、「命令の鎖」の秩序を無視することは、ある役職が持っている権威と重要性を否定することを意味します。男性たちは、この事実をほとんど本能的に身につけていますが、残念なことに女性の場合は、多くの場合、意識して修得しなくてはならないのです。

このような「階級」についてのセンスを磨くにはジョーゼフ・ヘラー著の『キャッチ＝22』という小説が非常に参考になるでしょう。これは第二次世界大戦中に地中海に隔離された空軍中隊についての小説ですが、これはそのまま平均的なワーキング・ウーマンの日常生活に当てはめることが可能です。この小説の中では、階級がどう運営されるか、男性たちがそれぞれの地位に応じてどのような反応をするものかが明確に表現されています。これは、女性にとって大きなヒントとなるでしょう。

ヘラーは『キャッチ＝22』から12年後に『なにかが起こった』という小説を発表しています。こちらは、舞台はビジネスで、ある会社の中間管理職が主人公となっています。これはちょうど前作を平和時に移しかえて書かれたものといってよいでしょう。それぞれの本には男性の文化やメンタリティが詳細に描かれています。あなたがもし、女性である自分が周囲の男性上司や同僚たちにどう見られているかを知りたいと思ったら、この小説の中での女性の描かれ方と男性たちが彼女に対してどのような態度を取るかじっくり読むことです。

ビジネス社会が軍隊と似た構造であることを理解することは、組織とは何かを理解することにつながります。もし、あなたが、ある仕事を担当しているとしたら、その仕事がピラミッドの中でどの位置に属しているか、そして「命令の鎖」にどこでつながっているのかを見抜くことができるはずです。秘書的な仕事、一般職的な仕事は、ピラミッドの外に位置しています。したがって、あなたはそこにいる限り、ピラミッドを昇っていくことはできません。(もし、あなたが現在秘書的な仕事についていて、ピラミッドの中に入りたいと思うならば、第7章87P~105Pを参照して下さい)

さて、ここで「命令の鎖」の鉄則を無視したために、せっかくの努力を台なしにしてしまったケースを紹介しましょう。

テレビ局に勤めるマルガリータは、副社長が責任者であるプロジェクトに参加してほしいと頼まれました。彼女は、目をかけてもらったことにすっかり感激して、全力で彼のために働きましたが、彼女の直属の上司である部長は激怒したのです。なぜなら、彼は自分の上司である副社長が自分に断わりなく彼の部下を自分のプロジェクトに参加させ、その間、他の者がマルガリータが本来行なうべき仕事をこなさなくてはならなかったからです。つまり、部長は副社長を自分の陣地に断わりなく入り込んできた「敵」と感じたのです。

その結果、部長は、マルガリータに対して本来は彼女がやる必要のない雑用をたっぷりと押しつけました。それも、非常にきびしい締切りを設定して。それが「命令の鎖」に逆らった者への罰則というわけです。

マルガリータは副社長と部長の対立の犠牲者になり、今後の昇進の望みも絶たれようとしています。このような時、彼女が取るべき行動は、まず、副社長に部長に対して「彼女をしばらく貸してほしい」というアプローチをしてもらうことだったのです。それをすれば、部長は原則的にイヤとはいえませんから、マルガリータは堂々と副社長のプロジェクトに参加することができ、そこで成功をおさめれば、突出した存在となることもできたでしょう。

「命令の鎖」についてのケースにはこんなものもあります。

ある若くて有能な女性は同僚からも上司からも好かれ、快適な職場環境で働いていました。先輩たちは、彼女になにくれとなく世話をやいてくれ、彼女の仕事ぶりに十分満足していたのです。

ところが、しばらく経って彼女の仕事の成果が驚くほど向上してくると、上司の好意的な態度はすっかり消え失せました。どんなに完璧に仕上げた仕事に対しても何か欠点を探し出そうとするのです。ある日、彼女が上司を通さずに、ベテラン社員から仕事についての説明を受けているのを見た彼は、カンカンになってこう言いました。

「何かわからないことがあるんだったら、私に聞きなさい。君に必要な情報はみんなあげているじゃないか！」

彼女がここで犯した間違いは「直属上司以外の別の誰かを頼りにした」ということを彼に知られてしまったということです。実際のところは、彼にたずねたところで仕事についての有益なノウハウは教えてもらえなかったことでしょう。おそらく彼は、その分野に詳しい誰かを紹介してくれるにとどまったはずです。しかし、それでも「彼にたずねる」という手順を踏むことがここでは求められていたのです。つまり、**オフィスの中では、効率を求めるよりは、秩序を優先した方がよりよい結果を生むことが多いといえるのです。**

「オフィスの化石」に要注意

オフィスの中での力関係を正しく理解していないと、長く勤めている人が権威や実力を持っていると勘違いをしがちです。私は、こういう誤解をしている女性を数多く見てきました。このような人たちは、25年同じ会社に勤め続け、景気が悪くなった時にはさっそく早期退職を求められてしまうような人たちです。彼女たちの多くは、人柄もよく、社交的で、趣味やボランティアにも積極的な生活を送っています。しかし、会社ではほとんど「化石」のような存在です。もしかして、あなたのオフィスにもこのような女性社員がいるのではありませんか?

彼女たちはなぜ、そのような存在になってしまったのでしょう? それは、会社に入った最初の頃に誤ったルール感覚を身につけてしまったからです。彼女たちは、長い間働いていても「命令の鎖」の存在を理解できなかった人たちです。

このような人たちは、上司の男性に媚びるような行動を取ります。そうすれば、彼女は表面的には上司に愛されますが、決して一目は置かれません。彼女たちは、単純で決定権のない仕事を与えられ、何年経っても同じ内容の仕事をしています。しかし、勤続年数が上がってくると、上司は彼女を「便利屋」として、自分が直接やりたくない仕事(例えば気に入らない社員の追い出しなど)を代行させるようになったりします。そんな時、彼女はあたかも自分のキャリアや判断力が試されているように誤解して、大喜びでその役目を引き受けますが、たとえ成功しても昇進できるわけではなく、わずかの昇給や待遇の向上でごまかされ続けてきたのです。

このような「化石」的存在には十分注意することです。あなた自身がそうならないようにすることはもちろん、そのような人があなたに近づいてこないように気をつけること。そのためにも「命令の鎖」の仕組みをしっかりと頭に入れておくことが重要です。**ピラミッドの中で生きていくためには、あなたの属する階級が持っている権利をしっかり守り、不当に口出しをしてくる人間をシャットアウトしなくてはなりません。**

第3章　ビジネス・ゲームの実際

ビジネスはスポーツに似ている

私は、前章で「会社とは軍隊である」と述べました。しかし、実際のビジネスの現場は「戦争」というよりは「スポーツ」というたとえがぴったりだと思っています。それはどうしてなのでしょうか？　それは次のような理由からです。

①ほとんどの場合がチームで行なわれる。
②チームのメンバーは原則的に志願した者から採用している。
③チームの中で認められるためには必要な技術や能力を持っていなくてはならない。

④能力のあるメンバーは良い条件でトレーニングを受けたりできるが、期待された技量がなければ他の選手と交代させられる。
⑤チームの目的は「勝つこと」に集約される。

どうです？　あなたのオフィスの状況にぴったりあてはまりませんか？

一般的に男性はこのような環境に抵抗なくなじんでいきます。ひいきのチームを応援し、選手をほめ、勝敗を賭けにしたり、戦略を分析したり、スーパースターの業績に自分のことでもないのに興奮したりする。そんな状況と組織の一員であることは似通った部分があります。サラリーマンとなった時、彼らは「大人の男」としてメジャーリーグの一員になれたことを実感するのです。

一方、女性の場合、チームスポーツの経験を持つ人は割合からいっても少数派です。ほとんどの女の子は、ボール遊びよりもお人形遊びを奨励され、チームの中での人間関係を学ぶことなく成長していきます。もちろん、女性でも似たような経験があれば、ビジネスがスポーツに似ているということの理由を理屈抜きで理解できることでしょう。しかし、その機会を持たないままにビジネス社会に足を踏み込まなくてはならないあなたも、このことはたとえ頭の中であれ理解しておく必要があるのです。

あなたはおそらくルールを知らない

男の子は九歳頃になると野球などのゲームを通じて「そもそもチームとはどんなものか」を学びます。そこではまず「何が公平で何が不公平か」ということが重要なことになり、ルール違反はこっぴどくやっつけられます。ゲームの中のルールは親や教師や仲間の圧力よりもさらにはっきりしたもので、非人格的な神聖なものと考えられます。この年代の場合、グループでのゲームはルールによって統制され、最終的な判断はコーチやアンパイヤ、つまり中立的な立場の人間に委ねられています。しかし、高校生くらいになってくると、今度はルールは二義的なものとなり、彼らの関心は**「いかにルール違反ぎりぎりをやって、しかもペナルティを課されなくてすむか」**ということに移っていくのです。

これらは、すべて人生のトレーニングとなり、他人と一緒に何かをすることに対する準備であり、ビジネスの原則を学ぶ実践教育です。チームプレイの中では、**個人とチームの利益が対立する場合、個人のそれを犠牲にすることが前提です。**そうでなくてはスター選手は同僚やコーチからも見捨てられてしまいます。

また、チームの中にはいろいろなメンバーがいて、ある者は走るのが速く、ある者はすばらしい打者だったりします。それぞれみんな異なった性格のメンバーと一緒にやっていかなくてはならないのが、チームスポーツというものです。チームの仲間同士で仲たがいをすることは、問題の多い人間として、たとえプレイヤーとしては優秀であってもチームからははずされる可能性もあります。つまり、組織の中で自分の地位を保つためには、メンバーは、ゲームのルールに加えて誰も口には出さないが守らなくてはならない不文律の両方に従わなくてはならないのです。

スポーツには必ず試合があります。スポーツの目的は「相手に勝つこと」ですが、弱いチームを打ち負かしても、何の自慢にもなりません。また、チームスポーツが教えてくれる大切なことは「あなたは全てのチームに勝つことはできない」ということです。同じ理屈であなたは全てのチームに負けることもできません。**あなたは自分の実力に見合った競争をすることが求められ、その中でベストを尽くさなくてはならないのです。**これは、そのままビジネス社会での競争にあてはまります。

ところが、女の子の多くはこのようなプロセスを経ないまま成長します。彼女たちの世界では「上品でしとやかであること」が追求すべきテーマとされているのですが、これは実は、後にビジネス社会に入った時には邪魔になる可能性もあるのです。

いわゆる女の子の遊び——おままごとやトランプ、縄飛びの類——はアンパイヤや審査員を必要としません。このような遊びをしている限り、女の子は仲間同士で競い合ったり、かけひきをしたりという機会を持てないのです。彼女たちのゲームは、勝敗がはっきりしないもので、単に機敏さを身につけるだけのものがあまりに多いといえるでしょう。この結果、多くの女性が実際にビジネス社会に出た時に、オフィスで孤立することになってしまうのです。彼女たちは「どのくらい良い仕事ができるか」については教えてもらえるのですが、「ビジネス社会でのチームの中でどのくらい良い仕事ができるか」についてはルールを全く知らないままで放っておかれるのです。

あなたが身につけるべきこと

スポーツマンが一番トレーニングをすることは「**負けても必要以上にがっかりしない**」ということです。彼らは負けても、自分をコントロールして平静な態度を取り続けることをさまざまな経験を通じて学んでいきます。「スポーツマン精神」とは、努力して学び取ったものであって、スポーツさえしていれば自然に身につくものではありません。それだからこそ、かちとったセルフ・コントロールの能力は価値のあるものなのです。つまり、**失望、落胆、困惑、非力、批判などにどう対応するかを学ぶことは、人生の上で欠かせない技術なのです。**

スポーツの世界では、失敗は意欲をなくしてしまう原因というよりは、「もっと可能性を増すためのバネとして考えられています。試合に負けるということは「もっと練習しなくてはならない」という信号であり、技術の向上、戦術の強化、過去のエラーの改善といったことによって、次は勝つということを意味しています。このように、失敗をマイナスにとらえない、という思考法も男の子が幼いうちから自然に学ぶことなのです。

競争は何を意味しているか

一般的に、男の子は幼いころから競争が好きです。何かを競うことで、単調な練習にも喜びを見出そうとしたりもします。つまり、彼らの世界では競争によって全てのものが価値あるものへと変化するのです。競争が存在しなければ、それはスパイスを使えない料理のようなもので、おそろしく味気なく、単調なものとなるでしょう。

したがって、彼らは成長すると、ビジネス社会の環境や精神に容易になじむようになります。ところが、女性は、全く別の世界に放り込まれたように感じる場合があまりに多いのです。彼女たちの素朴さや競争を好まない態度は、男性たちから見れば「結局女はビジネスに適さない」という結論を導いてしまいがちです。しかし、これも、女性がビジネスがゲームであることに気付けば、その仕組みをほどなく理解できるでしょう。

もちろん、近頃の若い女性の中には、スポーツの経験が豊富な人も見られますし、直接スポーツ経験がなくても、集団の中で何かをするのがどういうことかを社会に出る前に学んだ人も増えつつあります。もし、あなたがこれから社会に出る年代であるならば、ぜひともチームの中での行動について十分経験を積むことを勧めます。

有名な文化人類学者、マーガレット・ミードは「アメリカの女性は主婦として世界一非協力的だ。彼女たちは台所に他の人がいることすら耐えられない。そして、少女たちは、誰かと協力することをまるで学ばない」と述べています。そして、彼女はこうもいっています。「我々の社会では、少年たちは何にもまして同性の仲間に協力することをゲームを通じて学ぶ」このアメリカの文化の性別によるギャップは、働く女性にとっては大きなハンデとなる可能性があります。チームワークの体験に欠けた女性たちは、いずれ管理能力に欠けるという烙印を押されないとも限らないのです。そして、これはアメリカだけにとどまらず、日本においても言えることではないでしょうか。

「チームに参加する」ということ

ビジネスがゲームであり、会社がチームであるのなら、あなたはゲームに参加しなくてはお話になりません。しかし、これまで女性は、チアガールや、疲れた選手のマッサージをしたりユニフォームの洗濯を引き受けるマネージャー役しか与えられてきませんでした。これはちょうど、女性がその会社の本来の利益に直結する部門ではなく、中間部門（具体的には人事や総務的な業務）に集中していたことにも表われていると思います。

もっとも、近頃は「女性活用」を打ち出すために、女性を積極的に登用する企業も増えてきています。しかし、ここであなたが気を付けなくてはならないのは、それが女性向けに作られたポジションの場合、あくまでも男性の補助にとどまる可能性があるという点です。もし、そうなら、なるべく早くそのポジションから異動できるよう、周囲に働きかけなくてはなりません。

いったん、チームの中で自分のポジションが決まったら、そこで大切なことは「**自分の持ち場をきちんと守る**」ということです。

「私は昇進が遅い」「上司に認めてもらえない」という不満を述べる人の仕事の状態をよく聞いてみると、自分がやるべき仕事をきちんとこなしてもいないのに、他人の仕事にまで手を出したりしています。新入社員は自分の力よりもはるかに低いレベルの仕事を与えられるのが普通です。そんな時、意欲的な女性ほど、自尊心を傷つけられたような気がして、いい加減に仕事をし、締切りやミスをいい加減に扱ったりするのです。

いうまでもなく、このような仕事の態度は決して成功にはつながりません。**自分に与えられた仕事以外の仕事をすれば、もっとすばらしい仕事にありつけるかもしれないと夢想して、目の前の仕事をきちんとこなさないのは、ビジネス・ゲームにおいては「劣ったプレイヤー」と見なされるのです。**

賢いプレイヤーとなるための6つの鉄則

ビジネスは、基本的にはチームプレイです。それも、フットボールに非常に似ているといえるでしょう。フットボールのゲーム理論は非常に頭脳プレイが要求されるので、大学の経営学の授業でマネジメントを説明する時に使われるくらいです。それだからこそ、『フォーチュン』誌のアンケートでは、企業のトップの80%が、観戦するのが好きなスポーツにフットボールを挙げているのもうなずけるというものです。

さて、ゲームに加わったあなたがまず知らなくてはならないことは、「**ゲームに勝つための秘訣は誰も教えてくれない**」ということです。仕事を始めたばかりの女性が、さまざまなカルチャーショックを受けたり、妨害にあったりすることは決して珍しくありません。しかし、そこでがっかりしても始まりません。あなたは、賢いプレイヤーにならなくてはならないのです。そのためには、とにかく周囲の男性（あなたより年上と同年代の両方）がどのように行動しているかをしっかりと観察することです。ただし、それぞれのオフィスの環境はそれぞれに異なるので、ここで基本的な「賢いプレイヤーになるための秘訣」をお教えしましょう。

①自分の仕事の内容を十分に理解し、必要とされる知識や技術を身につける。
②オフィスでたとえ不愉快なことに遭遇しても、感情にまかせた行動は決して取らない。
③会議など公式の場では上司には逆らわない。その代わり、別のアイデアを出したり、インフォーマルな雰囲気で他の選択肢を持ちかけてみる。
④あなた以外の誰かが抜擢されるようなことがあっても怒らない。技術や知識をみがいているのは何もあなただけではないのだから。
⑤全ての仕事を自分でやろうとしたり、誰にもまんべんなく役に立とうなどとは思わない。そんなことは不可能なのだから。あなたの仕事の結果が誰のためのものであるかをはっきり理解する。
⑥ミスを犯したら、そのことにがっかりしないで、それから学ぶ態度を持つ。

どうですか、今のあなたはこれらに全て当てはまるでしょうか？　もし、そうであれば、あなたはその調子で仕事を進めて大丈夫。しかし、どこか当てはまらないところがあったら、早速努力をするようにしてみてください。

何度も繰り返すようですが、女性がゲームに参加する時に覚えておくべきことは**「必要以上の責任をしょいこまない」**ということです。有能な女性が、彼女がやるべきではない仕事まで抱えこんで、本来の仕事に支障をきたしてしまうという例はあまりに多く見られます。仕事の評価というものは、あくまでもその人の本来のポジションでの仕事に対してしか行なわれない——どんなに余分の仕事を引き受けてもそれはカウントされない——ということをしっかり頭に入れておくことです。

第4章　女性が会社で居心地が悪い理由

会社の言葉は男性語である

一般的に会社での言葉は男性文化の影響を受けています。しかし、女性がいきなり男性語を使おうとするとあまりにミスマッチなので、周囲から浮いてしまう可能性があります。しかし、このような言葉を理解しないうちは、あなたはオフィスの状況を理解できないままでしょう。男性は、しばしば女性はビジネスに向いていないと断定したがりますが、それは、この「言葉」のハンデを理由としていることが多いのです。

女性は、比喩の後に何が意味されているかを十分理解しなくてはなりません。

たとえば男性のマネージャーが微笑みながら男性の部下に「クォーターバックを考

えたい」と言う時には、つまりこういっているのです。「気を付けたまえ。君は誰が上司であるかを忘れている。十分君の反論は聞いたから、君が何を言おうとしているかは分かった。しかし、私はもう決定を下したのだ。このことで、君が傷つくのは分かるが、この状況の下でベストを尽くして欲しい」

この場合、男性の部下は笑って「そうですね。おっしゃる通りにしましょう」と言って、上司との関係に傷をつけなくてすむのです。彼らは共通語で話しているので、話の内容を十分理解できるからです。もし、女性の部下が同じコメントを聞いた場合、おそらくは上司のコメントの意味が分からず「それが、何なんですか?」と聞き返した上、とうとうと自分の反論を述べ続けることでしょう。

上司は、自分の言葉をいちいち翻訳して聞かせることができないために、彼女と議論をすることになり、彼女は上司の決断と権利を無視するような行動を取ってしまいます。これはひとえに彼女が「クォーターバック」の意味を知らないからです。

女の無知が男の神経を逆なでする

ここでもう一度おさらいをしてみましょう。
女性がビジネスの社会で居心地の悪い思いをする理由は、基本的に3つあります。

①ビジネス社会では権力は軍隊同様ピラミッド組織になっていて、厳しい階級差を認めなくてはならないが、女性はそのような「階級」に慣れていない。
②オフィスでの仕事はチームプレイのゲームだが、そこで、どのように振舞ったらよいのか訓練を受けていない。
③男性中心のビジネス社会は、意識する、しないにかかわらず、女性を文化的に排除するように出来上がっている。

私は最近、大企業が女性社員の活性化のために作った研修用フィルムを見る機会がありました。そこで、強調されていたのは、男性たちが女性の進出をいかに不快に思っているかを女性は十分理解し、彼らに対して「感じ良く」振舞わなくてはならないということでしたが、私はそれを見て、ハタと首をかしげてしまったのです。このようなことは本当に効果があるのでしょうか？　ビジネス社会に未経験の女性はアマチュアのプレイヤーのようなものです。そのような状態の人をいきなりプロのチームに放り込んで、とにかくその掟に従えというのは、あまりに無理な要求のように思えてならないのです。だからこそ、私がこれまで繰り返し述べてきたようなビジネス社会で生き延びる鉄則をあらかじめ知っておく必要があるのです。

もっとも、事務職の女性は、このような状況にあっても全く関係なく仕事をすることができます。なぜならば、彼女たちは「プレイヤー」として認知されていないのですから、求められる資質も異なるのです。オフィスでは、全員が「プレイヤー」としてゲームに参加しなくてはならないわけではありません。ただ「プレイヤー」になれないままで、ゲームを脇で見ているのは、あまりにもったいないとは思いませんか？ せっかく企業で働いているのなら、他人の仕事のサポートだけで時間を費やすのではなく、「自分の」仕事もしてみたいと思うのは極めてノーマルな感覚でしょう。

ダイアンが見つけた「男社会の処世術」

私の友人のダイアンは、3回転職を繰り返して、ようやくどうしたら女性が男性中心社会で生き延びていけるかを学び取ったといいます。しかし、彼女がここに至るまでは、散々苦労をなめた日々がありました。これを彼女に語ってもらいましょう。

「私の最初の仕事は男性ばかりのグループでエコノミストとして働くというものでした。私はこのグループは、大きな家族のようなもので、誰もが会社のためにベストを尽くすのだと信じていました。私は誰ともすぐに仲良くなれる自信があったし、同僚は皆良い人のようでした。

ところが、私がミーティングで発言すると男性たちは冗談を言ったりしてまともに相手をしてくれないのです。私は憤慨して、途中で席を立ったこともあります。私はできる限り一生懸命に働きましたが、とうとうグループ内で友人を作ることはできませんでした。男性たちは、一緒にお昼ご飯に行く時に私を決して誘ってくれないのです。私は自分が知らないうちにすっかり疎外されていることに気がついてとうとう会社を辞めました。

次の仕事では、状況は少し異なっていました。私は全くの独りぼっちにならずにすみましたが、オフィスで唯一、私の相手をしてくれた男性は、ある日突然クビになったのです。私は非常にショックを受けました。そこで、私は新しい友人を探そうとしたのですが、そこで、クビになった彼が実はオフィスで非常に嫌われていたことを知りました。彼の友人だったということで、私も彼同様「変わり者」というレッテルを貼られ、他の人からは相手にしてもらえませんでした。

2度も手痛い経験をしたのに、私は3つ目の勤務先でも似たような経験をすることになりました。今から思えば、私の最大の間違いは「男性と同じだけの資格や能力があれば、女性でも周囲に受入れてもらえる」という幻想を持っていたことです。最終的に私は次の4つの結論に達しました。

①ビジネスの世界では男性は女性に対して決して好意を持っていない。
②女性は、男性の同僚にどのように紹介されるかによって扱われ方が異なってくる。
③男性によって完璧に組織ができあがっている部署に女性が入ることは歓迎されない。
④男性だけのグループに女性が一人入ることは基本的に不愉快なものであることを受入れること。それを考慮して感情をコントロールする必要がある。

男性にとって、女性は自分たちの領地にいきなり入ってきた侵略者です。あなたにそのつもりが全くなくても、客観的にいえばそれ以外の何物でもないのです。その結果、あなたをわざとお昼ご飯に誘わなかったり、パーティに呼ばなかったり、会議のスケジュールをわざと流さなかったりといった数々の意地悪をしかけてきます。このような仕打ちに対して、私はひたすら友好的に振舞い、どの人に対しても暖かく接することに努めました。これは、何も彼らを愛しているからではなく、彼らをコントロールするためです。

もう一つ、新しい職場で最初にどう紹介されるか。これは非常に重要な部分です。これによってあなたの職場での扱われ方は微妙に変わっていきます。

新しい職場で最初の日は、午前中は事務的な手続きに費やされることでしょう。その後、あなたの同僚になる人と会う時のコツは、職場においてできるだけ有力と思われる人に紹介を頼むことです。これだけであなたは一目置かれることになります。一度紹介を受けた後は、今度はあなたが個別にそれぞれの人と知り合いになるように努めます。職場の全ての人と顔見知りになることは最低条件です。

男性がグループで食事に行こうとしていたら、すかさず「どこに行くの？　ランチ？」とたずねること。そこで一緒に行動することも情報収集に役立ちます。

もしも、誰かがあなたに仕事上必要な情報を教えなかったら、そのことを誰か上司のいる前で明らかにすること。そうすることによって彼は今後あなたをなめてかかることはできなくなります。

このようなことをひとつひとつこなしていけば、プロフェッショナルな人間関係を築いていくことができるようになります。でも、決してガードを弛《ゆる》めたりはしないこと。ちょっとでも気を許したら、彼らは、また元のように私を無視してかかろうとするでしょう」

第5章　女性のための頭脳プレイ

男性の弱点はここだ！

女性は、ビジネス・ゲームにおいてはアマチュア選手とみなされています。男性には長年の経験の蓄積と優れたトレーニング、道具、ノウハウがありますが、女性はいずれもが十分ではない場合が多いからです。したがって、基本的に男性は女性を信用してはいないと思ってよいでしょう。

しかし、男性にもひとつ大きな弱点があります。それは「女性も男性と同等の思考能力を持っている」ということを信じられないということです。男性は多くの場合、女性をステレオ・タイプでしか見ることができません。彼らは、女性を「母親」「姉妹」「妻」「娘」もしくは「ガールフレンド」か「娼婦」のいずれかに当てはめなくては相手を認識できないのです。男性は、自分たちが論理的で冷静だと言い張りますが、実際彼らの女性に対する態度は非論理的で感情的なのです。

その結果、男性は女性を人間として見ない態度を取ってしまいます。男性たちは、よく「女は分からない」と言いますが、これは、考えようによっては女性にとってはありがたいことかもしれません。だって、考えてもみて下さい。こちらは相手のことが十分分かって、相手はこちらのことが分からないとしたら、断然こちらが有利ではないでしょうか?

もし、あなたが若い女性部下を自分の娘扱いする上司の下で働く場合、あなたは「娘」を演じることで「父親」の心をつかむことができます。「無邪気なかよわい娘」に対して、「無防備な父親」は機密に類することもどんどん話してしまうかもしれません。

逆にあなたが管理職になって、若い男性の部下をコントロールする場合は「母親」のイメージを使うのもひとつの方法です。このように、相手の頭の中にあるステレオ・タイプを利用して、自分に有利な形に人間関係を持っていってしまうことも十分可能なのです。

あなたの直感を信じること

女性はしばしば直感に優れているといわれています。これは、逆の言い方をすれば、男性ほど論理的でないということになってしまうのですが、これもやりようによっては、あなたにとってチャンスとなるかもしれません。というのも、近頃は、男性がこよなく愛する論理的思考にもかげりが見られ、直感力や感受性を養うようなTA（交流分析）トレーニングやロールプレイングに人気が集まっているからです。今日の複雑な社会の状況を考える時には、個人的な解釈や理論よりは、目に見えない要素の方が意思決定には大きな影響を与えるとも考えられるのです。

女性は、直感を理性よりも下に位置するものと考えて「こんなこと言ってもどうせだめかも……」とついひっこめてしまいがちですが、そんな必要はありません。あなたの意見を通す時に「こんな予感がするのですが」といった言い方で、直感を生かすこと。また、十分理論的に根拠がある場合も、あたかも「女の直感」であるかのようにしておくことも作戦としては賢いでしょう。要は、男性は女性がたとえ男性以上に理性的論理的に行動することがあってもそれを認めたくないのです。それよりは（それが全く同じ結論であっても）女性特有の直感に対して好意的な反応を示すのです。それなら、それを使わない手はないではありませんか。

女性の直感は、社内の空気についてもなかなか鋭く反応したりもします。ある女性の管理職は、かねてから希望していた部署に転出できることになったが、なんとなくおかしいという直感でその異動を受けませんでした。果たして、その部署は、ほどなく閉鎖されてしまいました。もし誘いに乗って異動していたら、彼女は放り出されて行き場をなくしていたはずです。これは、ひとつの偶然にすぎないかもしれませんが、理屈で説明のつかないことに対しても直感は役に立つことがあります。あなたの中で何かひらめくものがあったら、それを馬鹿にしないで、素直に耳をかたむけることも大切です。

ビジネス・ゲームとは、最終的には男性VS.女性という構図になります。男性たちは共同戦線を張って、女性を締め出そうとして、彼女たちを従来の「観客」の立場、つまり、母親や妻、秘書の役目へ追いやろうとするのです。もちろん、現実のビジネスの場面では、単純に男性VS.女性という形になることは珍しいかもしれません。みんなそれぞれに利害を背負っているのですから、性別によって敵味方にきれいに分かれることは難しいでしょう。

しかし、ひとつの組織の中に入ってしまったら最終的なライバルは男性という可能性が非常に高いのです。これは、女性側がそう見なすというよりは、男性側からそのように扱われる――つまり、女性は後からやってきた侵入者であり、男性は一致団結してそれを排除するという構図になるのです。

もちろん、個人的には協力的な男性もいるでしょうし、非協力的な女性もいるでしょう。しかし、基本的な力関係はこのようになっているのだということを、あなたはしっかり認識しておく必要があると思うのです。

「演じる」こともゲームのうち

男性が女性を「家族」か「恋人」か「娼婦」のいずれかに分類しないとどうしても落ち着かないという状況は確かにいらだたしいものです。しかし、それ以外に考えようがないという現実を考慮すれば、それを逆手に取ってしまうというやり方も賢いゲームのやり方です。

その場合「娼婦」というのは、尊敬されない存在なので避けた方が賢明でしょう。

そうなると、「家族」か「恋人」ですが、後者は下手をするとオフィス・ラブと混同されてしまう危険性があります。（オフィスでの恋愛問題については第13章174P～183Pを参照して下さい）

そこで、効果的なのはやはり「家族」ということになります。それも暖かく家族を包む「母親」の役が最も安全でしょう。

「職場の母親」になるためには、何もあなたが年配の女性である必要はありません。要はメンタリティの問題ですから、極端な話、あなたが20代の若手社員であっても一向に差し支えないのです。あなたは、あくまでも男性とは競合しない存在で、別のトラックを走っている存在だというように振舞います。そうすれば、相手はあなたとは緊張関係にありませんから、基本的にはなごやかな関係が保たれるでしょう。

別にわざわざ意識して何かを「演じる」つもりはなくても、仕事をするということは、何かの「役」をすることです。あなたの周囲を見回しても、みんなそれぞれの役を演じているのではないでしょうか？　それなら、あなたも堂々と自分の役になりきって「オフィスの自分」という役のキャラクターを演じることです。たとえば、やるべき仕事はきちんとこなすがいうべきこともしっかりいうコワモテ型や、とにかく手を替え品を替えて要求は必ず通すスッポン型、ニコニコと人当たりはよいがウラでは政治的に動くフィクサー型など、キャラクターを作り上げるだけでもなかなか楽しめるはずです。ただし、とかく周囲から期待されがちな、「ニコニコと黙って雑用をこなす便利屋さん」という役柄だけは間違っても避けるべきでしょう。

第2部　あなたのキャリア・プラン

第6章　あなただって管理職になれる

誰も最初から管理能力など持ってはいない

近頃、多くの女性が自己啓発セミナーやキャリア・アップのためカウンセリングを受けるようになってきました。このような状況は確かにひとつの進歩といえるでしょう。

しかし、ここで多くの女性が新たな間違いを犯してしまうのです。それは「自分自身の性格をよく知れば、ビジネス社会でどう生きればよいのかは自ずと分かる」という思い込みを持ってしまうということです。

そもそも、女性に対して、ビジネス社会がどういうところであるかを説明してくれた人など、どこにもいなかったのではないでしょうか。あなたがたのほとんどは、会社の中でどのように行動したらよいのかを十分知らないままで、ビジネス社会に放り込まれています。そこでは「自分の性格」以前に「ビジネス社会とは何か」を知ることの方がよほど重要ではないでしょうか。(これについては、第1部に詳しく述べましたので、まだ十分理解できていないと思う人はそちらも参照してください)

さて、女性が仕事に対して誤った考えを持っているのは先に述べた「自分の性格を十分に理解すればビジネス社会で成功できる」という点だけではありません。もうひとつ、非常に大きな間違いは、マネジメントに対する基本的なイメージです。つまり「マネジメント」とは何か形のあるもので、それは実際に仕事につくまでに身につけておかなくてはならない技術だと思っている女性があまりに多いのです。しかし、これほど間違った考えもありません。

よく「女性は管理能力があるか」ということが問題にされますが、これは、「あるか」というよりは「その能力を育てる機会に恵まれているか」を問題にすべきです。なぜなら、**マネジメントとは、何かはっきりとした形のあるものではなく、仕事を通じて身につけていくひとつの「プロセス」だからです。**

A社とB社のマネジメントはまるっきり内容が異なります。求められることが会社によって異なるのですから、それは当たり前といえるでしょう。A社の有能なマネージャーがB社では全く役に立たない可能性は十分あります。したがって「女性はマネジメントの能力がない」などという言葉は全く意味をなさないのです。これは、単に「女性にはマネジメントの能力を育てるチャンスが与えられていない」ということに他なりません。

近代的な企業では、天才的なリーダーが必要なわけではなく、よく訓練されたプレイヤーが必要なのです。これは言葉を換えれば、生まれながらの経営の才能を持つ人よりも、実際の仕事を通じて着実にノウハウを身につけていった人が求められるということです。

管理職はなぜおいしいか？

一般的に女性は、自分が他人を管理したり、動かしたりするようなことを「自分には過ぎたこと」と考えがちです。しかし「残業はないけれど責任も昇進の可能性もない」という仕事と「時には若干長く働く必要はあるかもしれないが、昇進もできる」

という仕事がある場合、自動的に前者を選んでしまいがちなのは、非常に残念なことです。

なぜなら、前者の仕事の先は結局は行き止まりですが、後者の仕事にはさまざまな可能性があるからです。そして、おそらくは前者よりも後者の方が、最終的にはより少なく働きより多くの収入を得ることができるでしょう。

ここで、あなたは男性がなぜ管理職を目指すか分かったでしょう？　彼らは「楽をしてたくさんの収入とパワーを手に入れたい」という気持ちがあるために、昇進を目指すのです。上級の管理職は、優秀な秘書や中間管理職ほどには激しく働いたりしません。あなたは、こき使われる立場になりたいですか？　もし「そんなことはごめんだわ」と思ったら、あなた自身が管理職をめざすべきなのです。それも、課長、部長といったいわゆる中間管理職ではなく、もっと上の社長をめざすくらいの気持ちを持ってもらいたいものです。考えてもみてください。あなたは、年金をもらえるようになるまで40年近くをどこかで何かをして働くのです。（もちろん、「専業主婦」という選択肢もあるでしょうが、これはあくまでも無給労働です）それなら、希望によっては早期退職も可能で、その後はたっぷりと年金をもらいながら、好きなことに打ち込むという生活ができるような働き方を選ぶのが賢明というものではないでしょうか。

ただ、ここでひとつ覚えておくべきことは、あなたの「野心」はわざわざ人に言って回る必要はないということです。もし、あなたが、昇進への意欲を明らかにしたら、おそらく周囲の男性からは恐れられ、笑い物にされる可能性が大いにあります。ビジネス社会では男性は誰もが野心を秘めているものの、それを口には決して出さないというのが鉄則です。これは、ちょうどルールブックには明記はされていないけれど、誰もが知っているゲームのルールといってよいでしょう。

しかし、男性の場合、昇進への希望をわざわざ口に出さなくても上司も周囲も彼が出世欲を持っていることを十分知っているので何も問題はないのです。ところが、女性の場合、彼女が本当に昇進を望んでいるのかどうかは、何も言わなければ上司には決して理解してもらえないでしょう。そこで、あなたがするべきことは、自分は昇進を望んでいるということをはっきりさせるということです。これは、いきなり上司に向かって「私は社長になりたい」と宣言することではなく、適当な時期に次のステップに昇進したいという意思をほのめかすだけで十分です。

組織の中で目指すポジションにつくために必要な資質は、まず忍耐強さ、周到さ、そして状況を正しく見極める力です。それでは、これらをどのようにして手に入れたらよいのかを一緒に考えていきましょう。

時間の管理が全てを決める

現実の仕事の場では、一度にいろいろな仕事が押し寄せてきます。そんな時、自分にとってどの仕事が一番大事かを見分ける力を持つことは非常に大切なことです。しかし、これは日々の仕事に追われているとなかなか分からないものなのです。

もしかして、あなたは「よりたくさんの仕事をこなすことが昇進につながる」と思ってはいませんか？　それは、必ずしも正しくはありません。**あなたが身につけるべき能力は、自分のやっている仕事を管理職の視点で客観的に眺めてみるということです。**その上で、今自分が抱えているさまざまな雑事の中でどれが一番会社にとって重要か、さらには自分にとってキャリアの足がかりとなるものかを見極めることです。これは、無用な仕事を減らしたり、やらないですませるためにも非常に重要なことだといえるでしょう。

管理職を目指す人に重要な資質は時間の管理能力です。企業で働く場合、大学を卒業して目標のポストに就くまで、およそ30年間が持ち時間となります。つまり、20代前半から50代初頭までが企業の中で実際にプレイヤーでいられる時間というわけです。

その場合、あなたが目標の地位にたどり着くまでにはどれだけのポジションを通過しなくてはならないかを数えてみることが必要です。これは会社の規模や業種などによっても異なりますが、だいたい10から20程度になるのではないでしょうか。次にどの位のペースで昇進しなくてはならないかを計算します。たとえば、30年間に10の昇進を果たすためには、平均して3年に一度は昇進しなくてはなりません。このペースに遅れるようなことがあったら、別の時に遅れを取り戻すように努力しなくてはならないというわけです。

時間の管理能力は、昇進の面だけでなく、日常的な仕事をこなすためにも必要です。企業というものは常に未来に向かっていなくてはならないものです。どんなによいアイデアがあっても、ライバルに先を越されてしまったらそれまでです。マネジメントにプレッシャーがあるとしたら、それは仕事内容そのものではなく、時間の締切りという意味だと解釈すべきでしょう。一般に部下というものは、時間の問題でいつも頭を悩ませているものですが、特にあなたの上司が土壇場になってあわててしまうような人だったりしたらなおさらでしょう。時間の管理能力のない人の下で働くのはほとんど災難というべきだと思います。不幸なことにそのような上司の下で働くことになってしまったら、あなたに与えられた仕事が通常はどのくらいのペースで行なわれるべきなのかをあらかじめ知っておく必要があります。おそらく彼（女）は、非常識な締切りを設定してくるでしょうから、それに対抗するためにも何としてでも標準のペースを知る必要があるのです。

仕事というものは、常に妥協が必要なものです。なぜなら、それはいつも時間の枠の中で行なわれるものだからです。あなたが上司に命じられた非常識な量と締切りの仕事を息も絶えだえになってこなしても、それはあなたの評価につながるとは限りません。というのも、女性は一般的には仕事の質に興味を持ちがちですが、実際には完成度よりも「いかに速く仕上げたか」ということの方がより重視されたりするのです。よく、男性上司が「どんなふうにやってもいいから、とにかくこの仕事を明日までにやっておいてくれ」という命令を出したりしますが、これは仕事というものの本質をよく表わしているといえるでしょう。

このような仕事の発注の仕方は、決してほめられたことではありませんが、現実のビジネス社会ではしばしば起こります。そのような時に力を発揮するのが時間配分のセンスというわけなのです。

ラインの仕事とスタッフの仕事

あなたは現在自分のやっている仕事が何であるか本当にわかっていますか？　組織の中での仕事は一般的には「ライン」の仕事と「スタッフ」の仕事に分けられます。典型的な例を挙げれば、管理職は「ライン」であり、秘書は「スタッフ」です。もっと具体的にいえば、「ライン」とはお金を儲ける部門、つまり営業や生産に直接関係したセクション、「スタッフ」とはラインの仕事がうまく運ぶようにサポートするセクションです。総務部や人事部など直接売上げに関係ないところがそれにあたります。

スタッフ部門は、会社の中で直接利益を上げる部門ではなく、むしろ支出となりますから、経営状態が悪くなれば真っ先に削減の対象となります。スタッフ部門はさまざまなスペシャリストによって構成されて、ラインの管理職をサポートする役目を持っています。したがって、ラインとスタッフの仕事の内容は明らかに異なり、将来マネジメントにかかわりたいと思っている人にはスタッフ部門の仕事はあまりトレーニングにはならないのです。

スタッフはラインが方針を決定する時に参考意見を出しますが、最終的に決定を下

スタッフ部門はピラミッドのどこにつながっているか

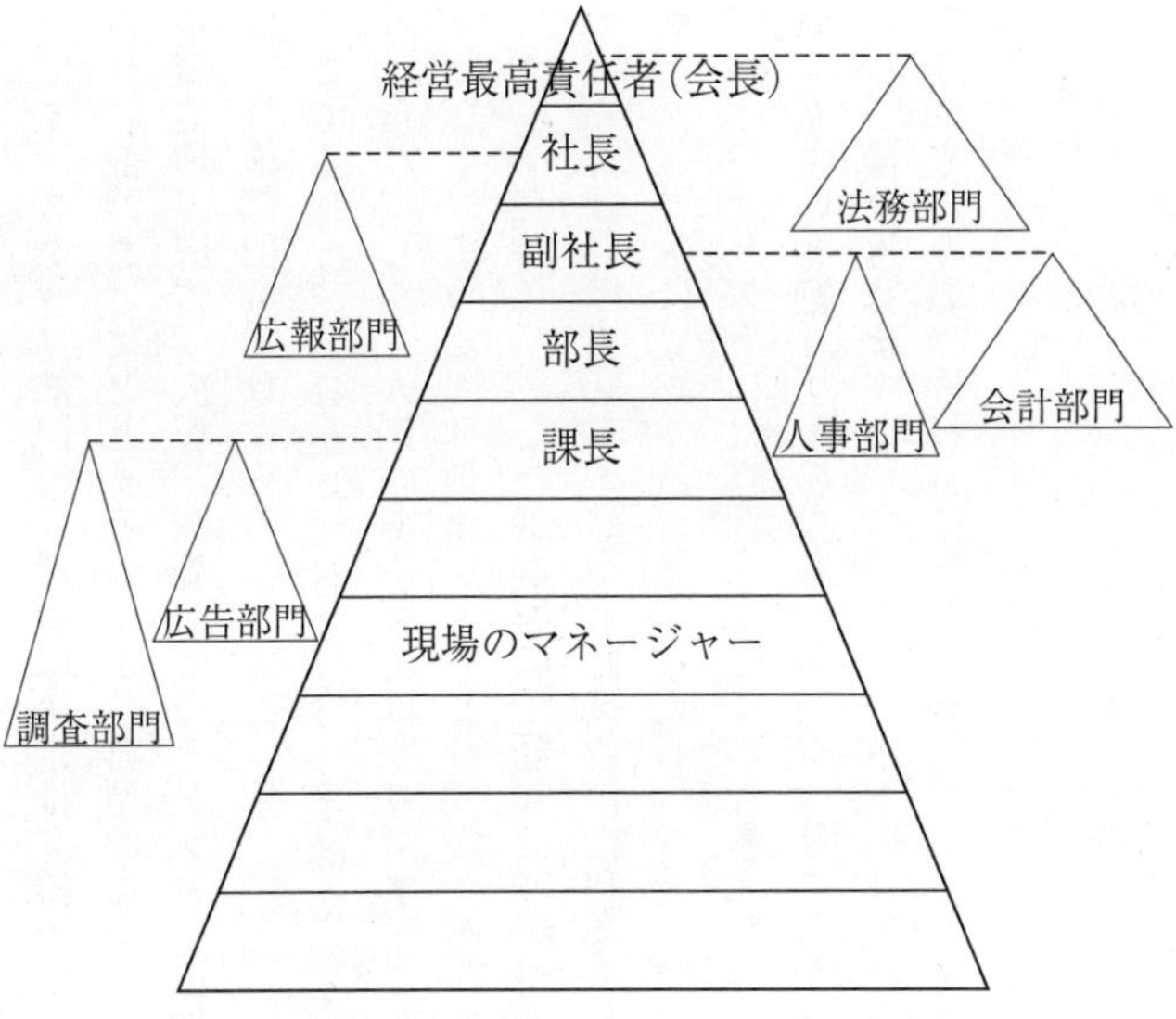

スタッフ部門はプラミッドの飾りのような存在です。
スタッフ部門はさまざまなレベルでライン部門に報告する役割を持っています。各セクションの規模はその企業によって異なります。また、スタッフ部門の内部にはそれぞれに「命令の鎖」が存在します。ただし、その場合、トップにいるのは部門の責任者であり、会社のトップではありません。

すのはラインです。スタッフ部門の管理職は決定権を持っているとはいえません。彼らの権力は自分の部門だけにとどまるのです。典型的なスタッフ部門とは、人事、法務、会計、情報処理、広告、広報、調査などのセクションを指します。さらに工業関係の企業では、技術部門もこれに入ることでしょう。

さて、ここまでくれば、お分かりでしょう。今挙げたセクションは、「女性にふさわしい」と考えられ、しかも人気のある部署ばかりです。これらのセクションは、売上げのノルマはなく、知的でスペシャリストとしてのキャリアを積んでいけそうに見えることでしょう。しかし、あなたが本当に、経営に興味があるのなら、この部門だけにとどまっていてはいけません。もっと直接会社に利益をもたらす仕事、営業や生産に関係したセクションに異動することを考えるべきです。

もちろん、スペシャリストには専門家としての仕事がありますから、あらかじめ定められた範囲でもよいと割り切るのなら、スペシャリストとして働くのもひとつの方法です。しかし、繰り返しますが、スペシャリストの仕事はラインから「使われる」という性質を持っていることをお忘れなく。あなたが、本当に自分の思いどおりに仕事をしたいと思ったら、やはりラインの仕事につかなくてはならないのです。

職場の階級を知る

同じ会社の同じフロアで働いていても、働く人の間に階級は必ず存在します。これは別に差別をするためのものではなく、単に、会社の中での立場を表わすものと考えるべきです。基本的には次の5種類に分けられるといってよいでしょう。

①現場の労働者
昇進は年功序列が基本。仕事の内容は、最初は単純なものを担当し、後にはもっと複雑な機械を扱うようになる。

②技術者
未熟練技術者としてスタートして、後には高度な技術をマスターする。徒弟制度がある場合もある。

③一般事務職
秘書やいわゆるホワイトカラーの仕事。書類の作成が主な仕事となる。

④スペシャリスト

スタッフ部門のスペシャリストや高度な技術者がこのグループに入る。「プロフェッショナル」とも呼ばれる。通常は大学卒の学歴があり、仕事は専門領域に関するものである場合が多い。具体的には法律、会計、ジャーナリズム、人事、科学技術など。経営に対して大きな影響力を持つスペシャリストであれば、次のマネジメントのグループに入ることも可能である。

⑤マネジメント

営業か生産関連の管理職、もしくは幹部候補生として採用され、さまざまな分野を経験する。経験する部署はマーケティングや工場、財務、支社など。このポジションの人間は、その会社の全体の状況を把握するように教育される。このグループに入れば、トップクラスの管理職になることも可能である。

これらの5つの中で、意思決定のできるセクションにたどりつけるのは、マネジメント部門とスペシャリストの一部といえます。女性は、一般的に、スペシャリストを目指し、転勤や異動のあるマネジメントの部門を敬遠する傾向がありますが、会社の全体を見るためには、転勤も積極的に引き受ける態度が必要です。「そんなにまで、会社中心の人生を送りたくない」というあなたは、ラインの仕事には向いていないのかもしれません。しかし、考えてもみて下さい。「あなた」が意思決定に携わらない場合、「あなた以外の誰か」がその仕事をするわけです。そうなった時、その人は、あなたが我慢できないほどの無能な人間である可能性だってあるのです。そのような人の下であなたは黙々と働きたいのですか？　それよりは、少しくらい忙しい思いをしても、あなた自身がものごとを決定できる立場にいるか、最低、そのような人間には「使われない」ですむ立場にいたいとは思いませんか？

同僚との関係をどうするか

さて、あなたが昇進を望んだ時から、周囲の人間はライバルとなります。しかし、ライバルにあからさまな対抗意識を燃やすのは、賢くありません。ここで行なうべきことは2つ。ひとつは、あなたの直接のライバルとなりそうな男性社員がどう行動しているかをじっくり観察すること。そして、もうひとつは同世代の女性の同僚がいたら、早速手を結んでお互いの弱点を補うような努力をすることです。もし、彼女が協力を拒否するようなことがあれば（しばしば「女同士だからといって協力する理由などない」とかたくなになる女性がいるものです）そのまま放っておけばよろしい。いずれ、彼女は脱落していくことになるでしょう。今の段階では、女性はやはり女性を積極的にサポートすべきです。

アメリカの企業では、幹部候補生の半数は5年以内に会社を辞めています。これは、脱落するという意味ではなく、その会社にフィットしないことが分かったということです。だから、もし、あなたが転職することにした時に「これだから女はダメだ」といわれたら、即座にやりかえすことです。これは、別にドロップアウトしたわけではないのですから堂々としているべきです。ドロップアウトは女性に限ったことではなく、男性にもいえること。さらにいえば、もしあなたから見て有能な人が転職するという場合は、その理由を聞き出すことが大切です。それによって何か重要な情報が得られるかもしれません。

ともあれ、社内で一番最初にチェックすることは、**昇進した男性はどのような行動を取ったか、また昇進を望む男性はどのように行動しているかを知ることです。**男性は、女性をまともなライバルとは見なしていませんから、自分の抱えている問題や将来の夢を語って聞かせることがあります。そんなチャンスに巡り合ったら、うまく聞き役に回ってしっかり情報を手に入れることです。

「やりがい幻想」にさようなら

女性の多くが「やりがいのある仕事」を求めて時間を費やし、転職を繰り返しています。これは、私から見れば、非常に時間のムダです。**キャリアとは、結局は「仕事を続けていくこと」そのものなのです。**「やりがい」を求めるあまり、目の前にある可能性を捨ててしまうのはもったいないことではないでしょうか。

「もっと私を生かす仕事があるはず」「もっとやりたいことがある」という気持ちを持つのは自由です。しかし、現実的にいえば、働くこととは「生活の糧を得ること」です。（女性の中にはその部分は夫に負担してもらい、自分は純粋に「やりがい」のためだけに仕事をしたいという人もいるようですが、このような人は、本書の読者対象として想定していません）しかし、『仕事をする』ということは単に生活を支えるだけでなく、あなたの持っている技術を生かしたり、いろいろなことに挑戦したり、自分では気づかなかった才能を発見したりできるチャンスでもあるのです。したがって、仕事とは「参加」することに意義があるもので、ただ見ているだけではほとんど何の意味もないのです。仕事をしているということで、あなたは多くの人に出会えたり、社会の仕組みを知ることができたり、あなた自身が社会に対して影響を与えることもできるのです。それならば、なるべく多くの報酬や権限を仕事から得るようにしたいと思うのはしごく当たり前のことではないでしょうか？

第7章　目標にたどりつくために

今、あなたはどこにいるか?

目的地にたどりつくには地図が必要です。あなたはまず、自分が企業の中でどの位置にいるか、さらにはどこに行きたいかをはっきりさせなくてはなりません。さらに覚えておかなくてはならないのは、あなたにはあとどのくらい時間が残されているか、そしてあなたが望むセクションにたどりつくまでにはあといくつ昇進をしなくてはならないかということです。

このことを客観的に知るためには、あなたの現在の状況を図解してみるとよいでしょう。組織の仕組みチャート（次頁の図参照）にあなたの部署の状態を書き入れて、

あなたの昇進チャート

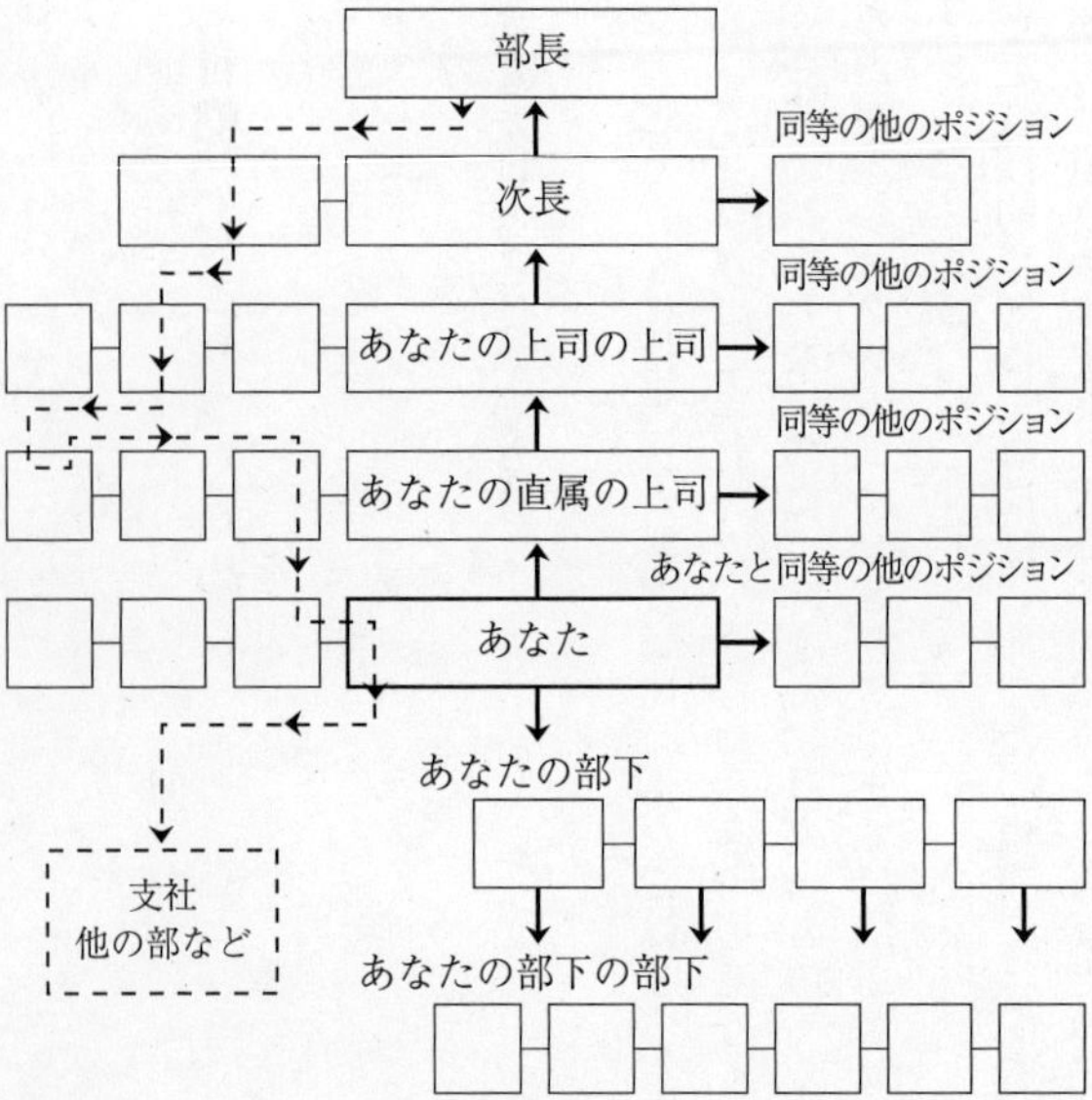

1. まず、一番下のレベルから数えて、あなたが現在どこにいるかをはっきりさせましょう。
2. 次にあなたのいるところから、直線コースの昇進を考えます。具体的にはあなたの上司のポジション、そして、さらにその上司のポジションということになります。
3. 他のポジションに該当するものを書き入れます。
4. あなたのセクションの部長がどのポジションを経て現在に至っているか(図では例として点線で書き入れてあります)を割り出します。それが、今後のあなたの昇進のひとつのモデルとなるのです。

該当する人の名前を入れてみます。もし、企業がオフィシャルな組織図を作っていたら、話はずっと分かりやすくなります。そうでない場合は、周囲の状況を見て、「誰が誰に報告しているか」を割り出して、命令系統を見つけ出すことです。

もし、あなたが働き出してまだ5年以内だったら、最終的には経営最高幹部クラスを目指すことも十分可能です。なぜなら、あなたには持ち時間がたっぷりあるからです。あなたは自分のセクションと他のセクションとがどのように連動しているかを明確にしたチャートを作り、さらにトップ経営陣にどうつながっているかを理解しなくてはなりません。

あなたが、働き出して5年以上経っていたら、自分の持ち時間と現在の昇進の状況を照らし合わせて、今後どのように行動すべきか（この会社にとどまるべきか、それとも別の可能性を探るべきか）を考える必要があるでしょう。自分の会社を評価する時に、意味のないことにこだわってはいけません。たとえば、「私の会社は大企業で、オフィスはきれい。同僚はいい人ばかりだし、世間的にも知られている」――こんな基準で自分の職場を評価していたら、とんでもない間違いを犯すことになるかもしれません。それよりも注意しなくてはならない点は次の4点です。

①勤務先の業界内のランクとその推移
②経営状態（過去から現在に至るまで）
③業種の将来性
④今後どんな人が経営陣となるか

企業は確かに組織ではありますが、一方では非常に人間的なものです。なぜなら、組織を動かしているのは人間だからです。あなたの信頼できないような人間が管理職になる会社なら、おそらく働き心地は決してよくはないでしょう。また、業種の将来についても、これから発展する部門を持っているか、それとも衰退していくような部門しかないのかを見極めて、その会社で働き続けるかどうかを常に考えていなくてはなりません。

また、業種は、会社の基本的な雰囲気を決定します。たとえば、金融や保険、公共事業などの業種は法的な規制が強いので、保守的で、変化のペースは遅い傾向があります。直接消費者と接する業種、たとえば小売業、食品、化粧品、テレビなどは変化のペースが速く、先進的といえるでしょう。競争が非常に激しい業界、たとえば洗剤や薬品などは寡占状態の業界（石油や鉱業など）に比べて大きな動きがあります。このような業種ごとの状況は、外からではなかなかわからないし、会社の中で末端の仕事をしていてもおそらくは理解できないでしょう。したがって、あなたは、自分の働く業界について、自分自身の感覚と外からの情報の両方によって知的武装をしなくてはならないのです。

経営のトップ、つまり社長がどのようなことを優先しているかを知ることは非常に重要なポイントです。彼が女性の登用についてどのような考え方を持っているかもしっかり調べておく必要があります。もし、社長が非常に保守的でガンコであれば、その企業は女性の登用はなるべく必要最小限にとどめようとするでしょう。このような会社では、女性は登用されないか、「女性専用」のポジションに押込められるのがオチです。こんな会社にはさっさと見切りをつけて、もっと可能性のある企業に移った方が適切な場合だってあるかもしれません。

このような情報を集めるのは、少しも難しくありません。経済新聞を読んでいれば、この手のニュースは自然に入ってくるでしょうし、大企業の場合は資料室に行けば、経営者に関した記事や書籍があるものです。そんな設備がなければ公共の図書館でも経済状況や業界に関する情報は手に入れることができます。また、あなたの友人や仕事で出会った他の会社の人と話をして、あなたの会社の印象を聞くことも効果的な情報収集法です。このようなことがあなたが自分の会社や経営陣を理解することの近道となるのです。

これからあなたはどう動いたらよいか

先ほど組織の図を書きましたね？ それをもう一度取り出して見て下さい。今度は赤鉛筆を持ち、社長のいる位置から下へさかのぼっていってみて下さい。つまり、彼がどの部署を経て現在の地位にたどりついたかを書き入れるのです。これは、あなたのセクションの部長についても同様です。そうすると、どのコースをたどると成功するかが一目瞭然となります。これは、あなたが現在いる位置に比べてどうなっているでしょう？ あまりに、かけ離れた場所にいたら、早急に軌道修正をしなくてはなりません。

次に、あなたの上のランクにいる人を観察します。彼らはあなたよりも年上か年下か、そのポジションについてどのくらい経っているか、近い将来に退社したり、転職する可能性はないか。（これは、あなたにとっては昇進のチャンスとなるかもしれません）さらに、あなたと同世代の人々を採点してみることにしましょう。何人の人があなたと同様の昇進の希望を持っていて、あなたにはない能力を持っているでしょうか？　このような図解をしてみると、あなたの本当のライバルは誰か、邪魔者は誰かがよく分かるはずです。

「報われない状態」から抜け出すために

女性の場合、ほとんどの人がスタッフ部門に働いています。スタッフ部門は単なる秘書的な仕事ばかりでなく専門職であることも多いので、それで満足している人もいるかもしれません。

しかし、これが「くせもの」なのです。なぜなら、スタッフ部門でプロフェッショナルとして働くのは、それなりにおもしろいために、本来覚えておくべきラインとスタッフの違いをついつい忘れてしまい、昇進の可能性を逃してしまうこともあるからです。スタッフ部門にいる限り、昇進の可能性は非常に限られています。この種の仕事は他の部門と交流することがないために、たとえ、そこでかなりの地位についたところで、最終的に経営にタッチできるわけではないのです。

また、あなたが純粋に秘書的な仕事についている場合は、先に述べた組織のピラミッドの外に置かれているので、もし、昇進したいと思っていたら何がなんでもこの状態から抜け出さなくてはなりません。秘書の仕事とラインの新人の仕事は非常によく似ているので、しばしば混同されがちですが、実は全く異なるのです。ラインの新人はいつまでも使い走りをしているわけではありませんが、秘書は何年経っても書類を作り、伝票を記入しているのです。

もちろん、実際の秘書は無能ではとても務まらない仕事です。多くのベテラン秘書が本来なら上司のやるべき仕事を無報酬で引き受けています。彼女たちの多くはオフィスのマネージャーであり、マーケティングリサーチャーであり、ゴーストライターであり、編集者であり、苦情処理係であり、その上、ワープロや帳簿つけまでこなしているという具合です。さらに、上司の私用までこなしている場合すらあるのです。

このように仕事は山ほどあり、しかも報われないという状態から抜け出すためには、まず一ヵ月の仕事の内容を逐一記録してみることです。そうすれば、あなたの本来やっている仕事の内容が明確になってくるでしょう。その中で「判断」を要するものがあれば、あなたは単なる秘書ではありません。したがって、上司に処遇の改善を求めても一向に差し支えないはずです。

もし、あなたの直属の上司が協力的ではなかったら、彼を飛び越えてその上の上司に直訴するか、いっそのことあなたが働いている部門の最高責任者に話をしてみるのもひとつの方法です。これは、本来は「命令の鎖」（第2章32P～38P参照）に違反するものですが、秘書のあなたは、組織のピラミッドの中に含まれていないのですから、別に構わないのです。ただ、行動を起こす時の準備はくれぐれも念入りに。まず、あなたが実際にやっている仕事の内容を書類にすることからスタートするとよいでしょう。これは、あなたがその会社にとどまる場合だけでなく、転職する場合も非常に役に立つはずです。

転職に成功する法

転職とはアメリカ社会においてはキャリア・アップをはかるためには不可欠のことです。終身雇用制が定着している日本でも、近頃は、転職に対して偏見は少なくなってきたように思われます。先に述べたように、その会社にとどまっていても、今後の可能性が考えられない場合は、思いきって転職をするのもひとつの選択といえます。手順さえきちんとふんでいれば、転職もあながちリスクばかりではありません。

ただし、その場合も新しい仕事を見つけるまでは決して現在の会社を辞めないこと。会社にいることのメリット（福利厚生など）を利用しつくしてからでも遅くありません。一番まずいのは、辞めてからあわてて職探しをすることです。

近頃は、登録しておくと仕事を斡旋してくれる人材斡旋会社もありますから、密かに登録しておくこともできます。どの会社が信頼がおけるかについては口コミが一番です。また、あなた自身がその会社に訪ねて行って実際に担当者と会ってみてそこを利用するかどうか決めるという方法もあります。

さて、転職する時に押さえておくべきポイントは次の4点です。

①応募書類にはなるべくプライベートな情報を盛り込まないこと。情報はあくまでも仕事に関連したもののみ。

②現在の年収については明らかにしない。その代わり希望の年収を明示すべきである。

③現在の勤務先についての不満を述べないこと。あなたが転職する理由は（少なく

とも表向きには)「上層部があまりに立派な人たちばかりなので、あなたの世代が活躍できるまでにはまだ非常な時間がかかりそうだから」もしくは「断わることができないくらいすばらしい条件の仕事に巡り合ったから」のいずれかである。

④転職を決める前にその会社の資料や取引先から情報を集めること。あなた以外の人が持っている情報は貴重である。

いざ、転職をする時に迅速に行動するためには、あなたについての最新の情報を入れた職務経歴書をいつも用意しておかなくてはなりません。また、首尾よく転職に成功したら、先に述べたピラミッドの中のどこに自分がいるのかを知る作業を繰り返すことはもちろんです。

あなたのキャリアの障害物を知る

ひとつの会社で継続的に働くにしても、転職をするにしても、あなたが仕事を続けていく限り、障害物に遭遇する可能性は常に存在します。それでは、どんな障害が待ち構えているのでしょうか？　働く環境によってそれぞれ状況は異なるでしょうが、どんなことが起こるのかをあらかじめ知っておくことは意義のあることです。

現実にキャリアの邪魔となるものはさまざまな種類がありますが、業種や会社の規模を越えて、基本的には次の5通りが考えられるでしょう。

①「塩漬け」

ライン部門であれ、スタッフ部門であれ、経営者は社員が多種多様な経験を持つことを望ましいとする傾向があります。それは、会社というものは、あることに非常に精通していても他のことにはまるっきり知識がない人間よりも、そこそこにいろいろな仕事に通じている人間の方が重宝であると考えるからです。逆にいえば、いろいろな部署を異動する人材は、それだけ会社にとって重要な存在であるのです。

したがって、もしあなたがある部署に長い間留め置かれていたらそれは「塩漬け」にされていると判断すべきです。「塩漬け」にされたあなたは、本来なら他の仕事を覚えなくてはならない時に同じ仕事の繰り返しを要求されます。この状態では、あなたは、昇進していくことが難しいでしょう。もし、このような状況に陥ってしまったら、ぜひともあなたが他の仕事にも意欲を持っていることを上司に伝えなくてはなりません。

②「封鎖」

スタッフ部門の仕事は、通常は昇進してもその範囲は限られていることが多いようです。実際多くのベテラン女性が、あるところまでいったらその後は伸び悩んでいたりします。

あなたは昇進チャートの中で自分よりも地位が上にある人たちの状況を冷静に観察しなくてはなりません。もし、あなたと同世代か若い年代の人が同じポジションにずっととどまっていたとしたら、おそらくあなたはその人たちを飛び越えることはできないでしょう。

また、主流からはずされた管理職が、副社長補佐といったような、中間管理職的な仕事で定年までとどまっているような場合、そのセクションはその人の定年後は閉鎖されてしまうことでしょう。

このような形で居場所のなくなってしまった場合、社内では「どこが引き取るか」が問題になります。大方の場合は、どこか力の弱いセクションが渋々と「残り物」であるあなたを引き取るはずですが、このような場合、新しい職場の居心地がよいはずがありません。こんな状況に遭遇したら、できるだけ転職を考えるべきでしょう。もし、その勇気がなければ、飼い殺しを覚悟で社内に居すわることを決め込むことです。

③「ミスマッチ」

女性の多くの仕事は、「サービス」か「サポート」の仕事についています。具体的には、庶務や調査など、社内の別のセクションに対して奉仕する立場にあるということです。実際には、それがどのような性質の仕事であるにしても、女性が担当しているということだけで「サービス」的な仕事とみなされ、女性は誰かをサポートするような仕事に向いていると決めつけがなされてきたのです。

もし、あなたがこれまで歩んできたセクションが、このような「女性的」な分野にあったら、自分の置かれている状況をもう一度見直してみる必要があるかもしれません。

ある織物会社のデザイナーは、長い間広報セクションに配属させられていました。彼女は『ヴォーグ』誌や『ハーパーズ・バザー』誌といった有名ファッション誌の編集者や有力な小売業者、生産者やバイヤーなどにファッションの動向を解説し、その季節の織物をデザインするのが仕事だったのですが、ある時、とうとう自分の仕事が会社の中でどんな位置を占めているのかを分析したのです。

彼女が「次のシーズンはどんな織物が売れるか」という決定を下すまで、販売や生産の現場（これは全員男性で占められていた）は、何も動き出すことができないのです。つまり、彼女は莫大な売上げに直接関与して、責任を負っている立場なのです。これは、明らかにマーケティングにあたるものなのに、彼女は広報部のスタッフとして、安い給料でこき使われていたということを知ったのです。

彼女は「自分がやっている仕事は、単なるデザインや広報だけでなく、マーケティングである」ということを社長に訴えました。それが認められるのには非常に長い時間がかかりましたが、最終的には彼女はマーケティング部門の部長待遇となったのです。

いわゆる「女性の仕事」とみなされているものは、それが女性によってなされているというだけで軽く見られる傾向があります。

もし、あなた自身が仕事の内容を分析して、スタッフ部門よりもライン部門に近いと思ったら、本来あるべき部署に異動を考えるべきです。その場合、直接話をすべきなのは、あなたが行きたいと思う部署のトップであって、あなたのセクションの上司ではありません。これは、一見「命令の鎖」に反するようですが、世の中に自分の部下の数を減らしたい上司などいるわけがないので、直属の上司に申し出るのは無駄になる可能性が極めて高いといえるでしょう。

経験や知識を持った人材は誰だって欲しがるものです。一度は認められなくても、繰り返しトライするだけの価値はあるでしょう。

④「行き止まり」

アメリカでは差別禁止が法律で定められてから一種の「証拠物件」として女性も管理職につけるようになりました。しかし、これらは多くの場合、「行き止まり」のセクションであることが多いのです。彼女たちは、比較的若いうちに専門分野の管理職につきますが、実はそれでおしまいなのです。もし、あなたがその状態にあったら、自分のポジションの仕事の裁量を広げるか、別の会社でもっと大きな仕事にチャレンジするべきでしょう。

もうひとつの意味での「行き止まり」とはひとつの仕事にあまりに長くとどまることです。経営側から見ると、ひとつの仕事にあまり長く張りついている人間は、昇進の対象からはずれてしまいがちなのです。「エキスパートになりすぎる」ということは、決して仕事の可能性を広げることにはなりません。企業はあなたを「経験は十分あるが、新しいことを学ぶことができない」人材であると決めつけ、うまみのあるポジションにはもっと若い男性社員がついてしまう可能性もあります。

このような場合、あなたは「私はこの仕事が好きである」とか「その仕事をやりたかった」などと言ってはいけません。常に不満を述べて、あなたが別のセクションに異動できるように運動をしなくてはなりません。

⑤「明らかな差別」

あなたが狙っていたポジションが、あなたよりも能力のない男性に取られてしまった、というような経験があれば、あなたも典型的性差別の犠牲者というべきでしょう。女性の中には自分が差別的に扱われていることに気づかない人もいますし、それを認めたくないという人もいます。しかし、あなたが不当な人事異動を「しかたがない」と諦めてしまったら、それは大きなまちがいというべきです。

異動と昇進は新しい仕事を学ぶチャンスです。将来性のある社員に対しては、異動と昇進はつきものです。異動の時期はしばしば気紛れだったりするものですが、これによって、社員は新しいことに挑戦したり、異なる職場環境に慣れる努力をしたり、大きくなった責任範囲を自分のものとしたりという機会を得ることができるのです。もし、何か新しいことを学ぶことがなかったら、それは昇進とはいえないのです。

もし、あなたが客観的に判断して著しく昇進が遅れているようだったら、理由を調べることです。人事の決定がどのように行なわれるのか、あらゆる方法を使って情報を集め、その原因を探るべきでしょう。理由がわかった段階で、その解決法も考えなくてはなりません。

ここで覚えておくべきなのは、昇進ゲームはポーカーと似ているということです。感情的に行動してはおそらく負けてしまいます。あなたが取るべき行動は、冷静になって社内の命令系統を理解した上で賢く行動することです。具体的にあなたが勝ち取らなくてはならないのは、かつて逃したポジションよりももっと良いポジションへの異動です。

このような目的を達するためには、似たような状況にある社内の女性がいたら、声をかけて内密に根回しをすべきです。女性が徒党を組むことを周囲は嫌がるかもしれませんが、この際どう思われるかということより実利的なメリットを優先すべきです。あなたは周囲から「いい人」と思われても不当に差別された状態で働きたいですか？もし、そうならば、これまでのアドバイスは忘れてしまって結構です。でも、そんな状況にはガマンできない！　と思うのなら、ぜひ行動を起こしてみてください。**黙っていたら「私はこれで満足しています」という意思表示になってしまうのが会社です。**うるさがられても、自分の欲しいものを手にいれた方が、結局は勝ちなのです。

第8章「勉強すること」そして「お金」

社会人の再入学について

もし、あなたが既に社会人で、もう一度学校に戻ろうかと考えているとしたら、それは正しい選択でしょうか？　一般的にいって答えは「ノー」です。もし、あなたが勉強したい内容やその理由がはっきりしていないまま、学校に戻りさえすれば何とかなると思っているのなら、それは大変危険というべきでしょう。何の目的もなく学歴を持つことは、ビジネス社会では全く意味を持たないのです。

女性は、賃金格差や昇進差別に直面するとこんなふうに考えがちです。「こんな問題にぶちあたるのは私に問題があるからだわ。もっと勉強して高い学歴をつければきっと解決できるに違いない」しかし、それは高学歴をつけたところで何の解決にもならないのです。

もちろん、医師や弁護士になるためにはそれなりの学校に行かなくてはなりません。公的な資格を持つためには学歴は不可欠ですが、普通の企業に入るためには、必ずしも立派な学歴は必要ないのです。ただ、ビジネスの社会では、学歴があっても実務経験のないものは役立たずですが、逆に実務経験があっても学歴のない人は最初から相手にされません。したがって、もし、あなたが高卒や短大卒でキャリアを目指すつもりなら、夜間や通信教育ででも大卒の資格を取ることは無駄ではないでしょう。

会社に教育投資をさせるには

会社の費用で勉強するということは、単に経済的にトクをすることだけではなく、他にもいろいろな意味があります。

会社の中での心理学を分かっていない人は、とかく誤った幻想を持ちがちです。自分で授業料を払った女性は「私は自前で授業料を払ったから、会社に経済的な負担をかけてはいない。会社はきっと私に感謝するだろう」と思うかもしれませんが、会社側はそんなことは全く思っていないのです。それよりは、企業というものは、同じ内容の勉強をしても、個人で授業料を払った者よりも会社が授業料を負担した者の方を高く評価する傾向があります。

管理職が見る風景は部下の見る風景とは異なります。情報量や知識が異なると考えることが違っているのは当然でしょう。これまでも述べてきたように、あなたは企業という軍隊の中にいるのです。軍隊ではポジションが上にいる者がその下にいる者に対して何をすべきかを決めるのです。スポーツチームにはコーチがいて、どんな形でどんなトレーニングをしたらよいかを教えてくれます。つまり、あなたにとって何が必要かを決めるのはあなた自身ではなく、あなたの上司なのです。

ともあれ、あなたが企業から教育投資を受けるためには待っていてはダメです。受け身でいたら、おそらく順番は永久に回ってこないでしょう。とにかく直属の上司に「頼む」ということ、そこからスタートすべきです。学校に行きたいという意思表示は、会社に対してはあなたが仕事に対して真剣であるという印象を与えることになるでしょうから、最終的にはあなたにとって有利に働くはずです。しかし、通常女性に対する教育投資はおっかなびっくりという企業がほとんどですから、あなたも会社から最終的なＯＫを取り付けるまでには、いくつもの難関を通り抜けなくてはならないでしょう。しかし、黙って待っていては何も起こりません。駄目でもともとという気持ちで、とにかくアタックあるのみです。

「お金」に対する感覚をみがく

女性は自分に対する教育は熱心でも、お金に関するテーマには意外に興味を持たないようです。しかし、ビジネス・ゲームにおいてはお金こそが得点を表わすといえるのです。したがって、もし、あなたが経済関連の知識に自信がないようだったら、これは勉強するだけの価値が大いにあるといえるでしょう。

改めていうまでもなく、ビジネスの目的は会社の利益を上げ、自分の収入を増やすことです。あなたは会社から給料を「もらっている」と感じているかもしれませんが、これは実際は「企業活動で生じたお金を分け合う」ということなのです。

会社の中では、全ての仕事は「いくらの価値があるか」という形で評価されます。利益が上がらないと判断されれば、そのセクションは組織から容赦なく切り捨てられます。このような事実は、自分の仕事だけを見ている状態ではなかなか実感できません。

ところで、女性は、一般的にお金というものに対して無意識のうちに「汚いもの」「自分は直接タッチしないもの」と感じているようです。お金に対して興味を持ったり、執着するのは女らしくなく、下品なことであるという思い込みはかなりの浸透度を見せています。あなたは、このような思い込みからはぜひとも解き放たれなくてはなりません。

ビジネスの社会では、お金について語ることのタブーは全くないのです。ビジネスという国においてはお金は全ての病気や痛みを癒し、すみずみにまで喜びを行き渡らせます。お金についての感覚を変えることは、一面辛いことかもしれません。しかし、**成長には常に苦痛が伴うものです**。あなたの中学生時代や高校生時代を思い返してみて下さい。きっと似たような経験があるのではないでしょうか。

「お金」についての勉強法

「お金」に対する感覚をみがく第一歩は、八桁以上計算できる電卓を手に入れることから始めましょう。これで、あなたは計算については何も問題がなくなったはずです。

次に、あなたが自分にとって必要と思われる知識をリストアップして、適当な講習会や学校がないかを探します。近頃は、銀行や証券会社、保険会社などでも財務や税金についての無料のセミナーを開催しています。また、自治体の社会教育講座などでも同様の講座を持っているところもあるはずですから、自分にとって役に立ちそうな講座を受講してみるのもよい考えでしょう。

しかし、何よりも重要なことは、**お金のセンスは仕事を通じて育つと**いうことです。もし、あなたに予算編成や販売予測、コスト管理といったお金に直接関係のある仕事をするチャンスが巡ってきたら、積極的に引き受けるべきです。この種の仕事はお金のセンスを身につけるためには絶好の機会といえるでしょう。

少し前のことになりますが、インテリア関連の専門職の女性と話をした時にびっくりさせられたことがあります。彼女たちは、一様に「数字に関した仕事」を避けようとしたからです。

「私は予算については何もわからない」
「価格の計算をどうやるのかは知らない」

こんな言葉を何度となく聞かされ、私は、第一線で働く人がこのような状態であることに愕然とした記憶があります。しかし、彼女たちだって、会計専門学校に通い、財務の速修コースを取れば、このようなことは決して言わなくなるでしょう。**知識は、あなたに自信を与え、行動の幅を広げてくれるのです。**

自分の売り方を学ぶ

「自分を売る」などというと、多くの女性が「とんでもないこと。私に値段をつけることなどできないわ！」という反応を見せます。これは、ひとえにビジネスというものの本質が分かっていないがゆえの発言です。

ビジネス・ゲームにおいて**プレイヤーであるあなたは、企業にとっては部品です。**あなたの年収はすなわちあなたの値段になるのです。その時に覚えておかなくてはならないことは、あなたは、できるだけ高い値段で自分を会社に売り込まなくてはならないということです。もちろん、新卒で入社する場合はほとんどの会社が一律の賃金を設定しているでしょうから、実際に賃金交渉をする機会は転職をする時になるでしょう。

もし、あなたが自分の能力を謙遜して低めの年収を要求したとしましょう。この場合、あなたにはもっと多くの収入が得られるすばらしい能力があったとしても、会社はあなたが要求した以上は決して支払わないでしょう。会社とは本来そういうものです。会社側があなたのことをおもんぱかって、正当な評価をしてくれる、などと思ってはいけません。あなたがここですべきことは「手に入るものは可能な限り手に入れる」ということです。

あなたは、自分が得られる評価の中で最高と思われる条件で働くべきなのです。もちろん、そのためには、会社側にあなたがどんなに「お買い得」であるかを納得させなくてはなりません。具体的には、これまでの仕事内容と成果を詳しく記したリストや、形に残った仕事の成果、顧客からの礼状などの「証拠物件」、さらにはあなたに有利になると思われる推薦者などを周到に用意しておかなくてはなりません。その上で、採用面接の際にはあなたが有能であることを目の前で相手に納得させる必要があるというわけです。

「仕事」と「お金」の不条理な関係

私の最初の仕事は、航空会社の工場で部品を作るというものでした。ほぼ三年の間、私は「ひとつ部品を作るといくら」という形で給料をもらっていました。出来上がった部品は、検査係によってチェックされ、良いものは納品され、問題があるものは戻され、全面的に使えないものはスクラップに回されました。このような状態で仕事をすることは、どれだけ良い部品を多く作るか、ということと給料は直結します——といいたいところですが、これが全くのウソだったのです。

私は機械を扱うのが大変好きで、仕事も手早くこなすことができました。そのために私はたくさんの部品を作り、おかげで私の次に作業をする人がさばききれないほどになってしまったのです。そこで、私は他の人の仕事も手伝って、仕事をこなすようにしました。なぜなら、私は当時としては高給取りだったので、そのくらいは当然だと思ったからです。

ところが、ある日のこと、作業効率を計る技師がやってきて、私の作業時間と生産した部品の量を計算しました。その後の会社側の対応はどうなったと思いますか？

能率的に仕事をする私の給料を上げることにした？　とんでもありません。その反対だったのです！

　会社側の論理はこういうものでした。私がそれほどたくさんの仕事をこなせるなら、作業自体は非常に簡単なものであるにちがいない。したがって、私の給料はもっと低くても構わないというのです。この話を聞かされて、私の中にあったプロテスタント的な職業倫理――つまり、能率的にたくさんの仕事をこなすことがほめられるべきことだという価値観――はふっ飛んでしまいました。現実の社会では、必要以上にたくさんの仕事をこなしたら、仕事の相対的評価は下がってしまうのです。

　このことは、私がビジネス社会のルールを知らないことから起こったといってよいでしょう。私は、本当に無知だったので、一生懸命に働けば働くほど多くの報酬が得られ、昇進が可能になると思っていました。しかし、作業のスピードが計られる場合、経験豊かな男性の技術者はわざと作業の速度を落とし、部品を作るのに必要な時間を引き伸ばしたのです。作業速度を計る技師は、それもあらかじめ考慮にいれて、二割増しくらいの速度をその人の能力としたはずです。ところが、私の場合「ほら見て下さい。私はこんなに能率を上げています」といわんばかりに全力で作業を進めていましたが、彼らはそれでも私は本来の力の八割しか出していないと判断したのです。言葉を換えれば、私は既に100％の力を出しているにもかかわらず、120％の力を出すように求められ、結果として私の給料は減らされてしまったのです。

こんなことがあってから、私は仕事と賃金との兼ね合いを真剣に考えるようになりました。それからというもの、八時間の労働のうち、真面目にやるのは二時間程度にして、あとはいい加減に働くことにしたのです。もし、会社側からもっと仕事の量を増やせといわれたら、残業をして残業代をたんまり稼ぐことに方針を決めました。会社は、このような形でなら喜んで多額の残業代を支払うものなのです。

これは、今からかれこれ40年も昔の話なので、そのまま現在の仕事の状況に当てはまるとは思いません。しかし、仕事とその評価というものについて非常に示唆に富む事例ではないかと私は思っています。

ホワイトカラーの仕事の成果は工場での仕事にくらべて、なかなか明確には計れないことが多いものですが、それでも共通点はいくつもあります。人並みはずれて仕事のできる人にはどんどん仕事の量が増えるのですが、それにふさわしい処遇がされるとは限りません。こんな場合、あなたが取るべき行動は新たに仕事が増える度に、見返りを要求することです。具体的にはセクション内での権限が増えることや、昇進・昇給といった目に見える形が望ましいのですが、それが不可能な場合は、上司にはっきりとした「借り」の認識を持たせることです。そうでなければ、あなたが余計な仕事を引き受けるだけの価値はありません。誰か別の人にその仕事を分担させるようにしむけるべきです。あなたがどんなに雑事を引き受けても、会社側はできるだけその評価をしたがらないものです。**会社とは、働く人間に対して出来るだけ少ない報酬で、できるだけ多くの仕事をさせることを常に考えていることをお忘れなく。**

第9章　大学生のために

就職に有利な学部・専攻を選ぶ

　はっきりいって、現在の大学教育の多くはビジネス社会では何の意味も持ちません。特に、人文科学系の勉強は教養にはなっても、企業で働く人材の養成には全く価値がないというべきでしょう。現在のところ、ビジネス社会が欲している人材と大学が送り出す人材には残念ながら大きな隔たりがあるといわなくてはならないのです。**ビジネス社会での成功は、実際の仕事を通じて時間をかけて覚えることでしか手に入らないものです。**よく女性は「より高い学歴を手に入れれば、よりよい仕事が手に入る」という幻想を持ちがちですが、これは全く正しくありません。大学卒の学歴はないよりはましですが、それ以上の価値を持つものではないということをまず最初に知っておくべきでしょう。

それでは、どんな分野がビジネス社会で有利に働くのでしょうか？　それは、経営、簿記、財務、法律などです。学部でいえば、経済学部、商学部、経営学部、法学部といったところでしょうか。もし、あなたが、既に文学部や教育学部に入学してしまっていたら、そこでできることは、少しでもビジネスに関連した講座を受講することです。具体的には、心理学なら産業心理学や行動心理学、社会学でもマーケティングやビジネスに関連した講座を取ることで、チャンスを増やすことも可能になるでしょう。あなたの在籍する学部にそのような講座がなかったら、他学部の聴講をしてもビジネス関連の講座を受講することは価値のあることです。

伝統的に女性にふさわしいとされている語学や文学、教育などという分野はことビジネス社会で働くためにはほとんど意味をなしません。もし、あなたがこれから大学に入学する学生で、何を勉強してよいかわからないという場合は、何でもよいから「お金」に関連したものにしておけば間違いがありません。あなたがお金に全く興味がないとしたら、おそらくビジネス社会そのものに向いていないと考えるべきです。その場合は、他の可能性（例えば教職や非営利団体での仕事など）を考えてみるのもよいかもしれません。

さて、あなたが自分の仕事を探す時に参考にするものは何でしょうか？　大学の就職課？　図書館で探した資料？　それとも就職関連の情報誌？　いずれにしても、仕事についてのイメージは、一度も仕事についてみたことのない状態ではとても想像しにくいものです。そこで、あなたがするべきことは、大学の卒業生名簿からあなたの希望する（希望がはっきりしていなかったら興味のある）分野の仕事をしている人を選び出して手紙を書くことです。見ず知らずの人に手紙？　とあなたは尻込みするかもしれません。しかし、実際にビジネス社会に入ったら、あなたは見知らぬ人に対してものを売ったり、勧誘をしたりしなくてはならないのです。それを学生のうちに先取りして経験できるのだと思って積極的に行動して下さい。それに、相手はたとえ面識がなくてもあなたの先輩です。同じ学校で学んだという事実を最大限に生かすことです。手紙には次のような内容を盛り込むとよいでしょう。

①あなたの自己紹介　（相手はあなたのことを全く知らないという前提で簡潔に分かりやすく）

②あなたがその仕事に興味を持った理由

③その仕事の具体的な内容についての質問（日々の仕事内容、おもしろさ、大変さなど。忙しさについては、1日のスケジュールをたずねればおよそ推測がつくでしょう）

④現在の勤務先についての質問（社風、女性の扱われ方、昇進や福利厚生など。ただし、あまり福利厚生にばかり興味を持つような書き方は避けた方が賢明です）

社会人である先輩は、おそらく時間に追われる生活をしていることでしょうから、返事を待つよりは、あなたの方から職場（もしくはその近く）に出向いて行って、直接会って話を聞くことをお勧めします。そうすることによって、あなたも先輩の仕事場の雰囲気を何となく感じることができるでしょう。これは、就職活動が実際に始まってからではなかなか時間が取れないでしょうから、3年生までにぜひやっておきたいところです。

「就職のために大学に行くわけではない」などという人もまだまだいるようですが、そういう人に限って、将来についてのビジョンを持たないまま学生時代を送るものです。そして、就職活動の時期になってあわてて企業の研究を始めるというおろかなことをしがちなのです。大学は学問の場であることは一面事実ですが、ほとんどの学生は学者になるわけではありません。早い時期から卒業後の実社会で何をするかを考えるのは、決して無駄にはなりません。

理科系の学生はどう行動すべきか

私は、人文科学系の専攻はビジネスには全く役に立たないということを述べました。それでは、理科系の専攻はどうでしょうか？　率直にいって、理科系は人文科学系よりはるかに恵まれた状態にあるといえます。

近年、従来は男性の領域とされていたエンジニアリングや化学、数学、自然科学などに多くの女子学生が進学するようになってきました。彼女たちは、卒業後、かなり有利な条件で就職できることでしょう。

ただ、ここで注意しなくてはならないのは、高度に専門化したサイエンス・エンジニアリングの世界では、単なる学部卒の学歴など全く役に立たない可能性もあるということです。科学分野では最低限修士号が必要と思っていた方がよいでしょう。

しかし、理科系の学生の中にはしばしば「技術系の仕事の世界の狭さに幻滅した」

というような人も見られます。確かに研究所勤務などという仕事についた場合は、知的ではあっても日常的には単調で刺激に乏しい部分もあることは否めません。そこで、理科系の学生でも、技術職以外の仕事につくことを考える人も出てきています。私はこのような姿勢はむしろ望ましいのではないかと思います。

理科系を専攻したことは、うまく使えば就職の際に有利に働く可能性もあります。ビジネス・ゲームでは時には「はったり」も効果的なテクニックといえるのです。「理科系の学士号は取るが、その分野の専門職にはつかない」という方法を使えば、あなたはビジネス専攻の学生よりもはるかに優位に立てるかもしれないのです。

たとえば、あなたが岩や地層の構造に興味があるのなら、地学を専攻すればよいでしょう。ただし、地学に直接関連した授業は最低限に抑えておいて、他の分野の授業、特にビジネスに関連した分野をたくさん受講するのです。

就職活動をする時には地学に直接関係のある仕事は選ばないようにします。その代わり、石油会社や鉱業関連の会社で子会社を世界各地に持っている多国籍企業に狙いを定めるとよいでしょう。そして、志望するのは何といっても営業部門。その時にあなたの地学のバックグラウンドが生きてきます。おそらく、あなたのライバルとなる人たちには、理科系の専攻はいないか、いたとしてもごくわずかでしょう。となれば、あなたはいとも簡単に幹部養成コースに入ることができるでしょう。

同じことは他の分野にもいえます。たとえばコンピュータ関連会社やメーカーに就職したいと思ったら、会社概要を見て管理職たちがどんな技術的バックグラウンドを持っているかを調査するのです。このような会社では、管理職には必ず技術畑の人が入っているはずです。それが分かったら、それに関連した分野を専攻しておけば、おそらく有利になるでしょう。まだまだ女性は理科系の分野では少数派です。したがって、あなたにもチャンスが回ってくる可能性は十分あります。

蛇足ながらつけ加えれば、まちがっても最初からサポートやサービス部門を志望しないように。そのような部署は一見「女性に向いている」ように見えるかもしれませんが、そこではあなたは、一生下級技師で終わることでしょう。

もし、あなたが営業や経営ではなく研究開発部門に働きたいと思う場合は、あなたの将来はかなり絞り込まれたものとなってくるでしょう。しかし、研究職につきたいという明確な意図があれば、それもひとつの選択です。ただし、その分野の第一人者となれるように、厳密に専門性を追求できる分野に進むようにすべきでしょう。

理科系の学部に進学しながら、理科系以外の授業を多く取るように勧めるのは、大学学部レベルの授業は、教養程度と考えて差し支えないからです。理科系の場合、本格的な勉強は大学院レベルで行なわれるものであり、学部レベルでは「専門知識を身につけた」というよりは「理科系バックグラウンドを持っている」と見なすのが適当ではないかと思います。理科系学部出身だから技術職と決めつけずに、マネジメントに関わる仕事にも積極的にトライしてみてください。

大学時代にやっておくべきこと

いまだに女子学生に対しては偏見を持っている企業が多い中、とにもかくにも採用され、生き抜いていくためにはビジネス社会に適応していく「基礎体力」が必要です。そのためには次のようなことをぜひやっておくとよいでしょう。

①大学のスポーツチームに入ること

もし、すばらしい成績を上げられなくてもチーム経験や選手としての経験は得難いものになります。これはビジネス社会での「ゲーム」と全く同じことがいえるからです。**体力と気力の両方のバランスを取ってこそ勝てる**という経験を学生時代に知っておくことは重要なことです。さらに、チームのまとめ役の経験は、ビジネス社会においても必ず応用できることでしょう。

②クラブや同好会などの運営をすること

できるだけ大きな組織の運営に参加することが重要です。参加するには幹部をめざして、実権を握る立場になること。受け身でいなくてはならない組織ではあなたにとってプラスになりません。

③チャンスを見つけては旅行をすること

長期の休暇が取れる学生時代にできるだけ多くの土地を訪ねてみることです。大学の友人の故郷を訪ねて、町を案内してもらったり、その地域の企業を訪問するのも意義のあることでしょう。安い航空券で外国に行くのもよい考えです。近頃はバスの便もありますから、それを使うのもよいでしょう。

知らない土地でも堂々と振舞えることは、仕事で出張に行った時に非常に役立ちます。さらに旅をすることで、ひとつの国の中でも地域によってさまざまな暮らしがあるのだということが理屈抜きに分かることでしょう。

④旅行中一度はシティホテルに泊ること
旅行の間、一泊でよいから、ユースホステルやビジネスホテルではなく大規模なシティホテルに宿泊することを勧めます。社会人になって出張する時に慌てなくてもすむように、予約の取り方、チェックイン・チェックアウトの方法、施設の使い方（外国の場合はチップの渡し方）などを練習するためです。このようなことは、あまりに初歩的なことのようですが、意外に練習する機会がないものです。失敗の許される学生時代にぜひともやっておいてほしいことだと思います。

⑤車の運転技術を磨くこと
自分で車を運転して自由に行きたいところに行けるということは、行動範囲を格段に広げてくれます。誰かに運転してもらうという状態から「自分で運転する」という状態になるためにも免許の取得はもちろん、運転の練習をしておくべきでしょう。

⑥できるだけいろいろな人に出会うこと
あなたとは異なる興味や趣味を持つ人と一緒に行動することも意義のあることです。

コンサートやスポーツをその分野に通じている人と一緒に観たり、前衛的な演劇や音楽を鑑賞したりという経験はあなたの芸術的なセンスを育てることでしょう。また、外国人と一緒にその国の料理を作ってみたり、大工さんを手伝って家を作るという経験でもよいのです。とにかく身近な友人を通じて最低一ヵ月にひとつは何か新しいことに挑戦してみること。読書ももちろん結構ですが、女性は既に沢山の本を読んでいます。これ以上本の知識を増やすよりは、まず、何かを実際にやってみることの方がずっと重要だと思うのです。

また、学生時代の友人とは、卒業後も何らかの形で接触を持ち続けること。なるべくいろいろな分野で働く人とつきあうのはもちろんですが、政府関連の仕事についた友人がいたら、特に大切にすること。友人からの内部情報があなたの仕事に役立つ可能性だってあるのです。

⑦実社会で働く経験を持つこと

おこづかいや学費を稼ぐためのアルバイトでも、あなたの経験をひろげるチャンスになります。できれば、大学の中の仕事や非営利団体の仕事よりも、一般の企業での仕事がお勧めです。そうすることで、あなたは学生の身分のまま、社会で働くことの一端に触れることができます。学校と企業、非営利団体と営利企業では、仕事のペースも雰囲気もすべて異なるものです。できるだけ早い時期に、普通の企業で働く経験をしてみることは、卒業後の就職先を考える時にも役立ちます。

営利企業で働くことの他に、市民運動のボランティアや選挙のアルバイトなどもよい経験になるでしょう。また、会社によっては、夏休みの間だけ学生を「インターン」という形で特別に受け入れて、研修をさせてくれるところもあります。これは特に理科系の学生にチャンスが多いので、学校に届いているお知らせなどに注意しているとよいでしょう。

一般的に、女性は幼い頃から保護され、自分自身でものごとを判断する機会を制限され、誰かを頼るようにしむけられてきました。しかし、大学にいる間にも、あなたにその意思さえあれば、自立への準備を進めることができるのです。ここに挙げたことは、本当に初歩的なことばかりですが、最初の一歩としては重要なことばかりです。どうか、大学生のみなさんは自分の可能性を十分生かせるように、周到に準備を進めて下さい。

第3部　ゲームに勝ち残る秘訣

第10章　仕事場でのルール

会社の中はシンボルでいっぱい

会社の中で働く時に、注意しなくてはならないことは、**組織には常にシンボルがあるということ**、そして**それを決して馬鹿にしてはいけない**ということです。

例えば、現在の日本の会社では、女性は総合職と一般職にグループ分けされているところもありますが、そこでひとつのシンボルとなるのは「制服」ではないかと思われます。（もちろん制服のない会社もあるでしょうし、どちらの職種でも制服という場合もあるかもしれませんがここではひとつの象徴として考えます）

通常、補助的・定型的な仕事を担当する一般職は制服を着せられ、ラインの仕事である総合職は制服を着ることを強制されない場合が多いようです。そこで、もし、総合職のあなたが一般職の女性たちに同情や理解の気持ちを込めて制服を着たらどうなるでしょうか？　ここで、あなたのキャリアには最初の暗雲がただようといってよいでしょう。

せっかく制服を着なくてもよい立場にありながら、その特権を使わないのは、ちょうど役員が重役だけに許されている特別食堂で食事を取らず、一般社員の社員食堂で食事をするようなものです。このことによって、彼は、部下から尊敬されたり、親しみを持ってもらえるどころか、同僚の役員から軽く見られるだけでしょう。（もちろん、特別の目的があってわざわざ一般社員の使う社員食堂で食事をする場合は別です）特権を使わないのが奥ゆかしいという考え方はビジネス社会では通用しません。**使える特権はその性質を理解してできるだけ有効に使うこと。**このことがあなたの地位や権限を守ってくれるのです。

シンボルは他にもいろいろな所に見ることができます。たとえば、あなたの机は上司の机とどのような位置関係にありますか？　もちろん、できるだけ自由にコミュニケーションの取れるような配置であることが望ましいのはいうまでもありません。（本来はあなたのオフィスの位置というべきでしょうが、日本では個室をもらえるよ

うな人はほとんどいないようなので、ここではあえて「机」としておきました）
もし、あなたが自分の名前の入った社用の便箋を持っていたり、あなたの名刺でレストランの「つけ」がきいたりすれば、それはひとつの「勲章」です。このような勲章をひとつひとつ集めていくことは、一見くだらないようなことに思えるかもしれませんが、組織の中での地位を明らかにするためには意外に重要な働きをするものなのです。

職場の名簿についてもシンボルは存在します。あなたの職場で、名簿の順番はどのようになっているでしょうか？　部長、課長、係長といった地位の順番のあとは、一般の部員がどう並んでいるかちょっと見直してみて下さい。入社年次やアルファベット・五十音順なら一応納得のいく順序です。しかし、その中でも同レベルの人間がいる時に自動的に男性が先になっているような場合、おそらく会社の中での女性の地位も対等ではないでしょう。あなたがもし、このような職場にいる場合、できるだけ納得のいく順番で名簿の順序を決められるように働きかけるべきです。その場合、感情的にならず、あくまでも合理性を前面に押し出すことです。

お昼休みの取り方や勤務時間のフレックスタイムを使えるのかも、地位や力のシンボルとなります。もちろん、あなたが自分で自由に決められる範囲が多ければ多いほど望ましいのは言うまでもありません。

もちろん、職場によっては地位や職種に関係なく、自由裁量の部分が少ないところもあるかもしれません。それでも、すべての職場には「力関係」というものが存在するはずです。そのような関係性がある限り、手に入れることができた権力を使わないのはあまりにもったいない！　そのような人はおそらく「権利を行使するだけの実力もないのだ」と見なされかねないのです。もし、あなたが「力」を持てる立場であれば、ぜひともそれを生かすべきですし、そのような立場になければ、少しずつでも「力」へ近づけるように行動すべきです。

机のまわりがあなたを語る

一般的に女性の机のまわりは男性の机に比べてごちゃごちゃしています。それは、男性で部下を持っている人はガラクタの整理を部下にやらせてしまうので、自分ではかかえこまなくてすむことが多いのと、女性でプロフェッショナルとして働く人は、たいてい「紙」にかかわる仕事についていたりするからです。具体的には、記者・編集者・コピーライター・広報担当者・消費者関連のセクションなど、いずれも文章を書いたり、書類の作成がついて回る部署といえるでしょう。しかも、このレベルの女性たちは個人的な秘書を持っていないので、書類の整理分類に非常に苦労をするというわけです。

このような状態を避けるためには、できるだけこまめに整理整頓をするより方法はありません。もちろん、秘書的な仕事を引き受けてくれる人がいるのなら、全面的にその人に任せてしまうことです。あなたの机の上は常にきれいに整理されていなくてはなりません。何か新しい仕事が入ってきた時に、すぐに取り掛かれるような状態になっていなくてはならないのです。

私の知人には「新しい取引先とは必ず先方のオフィスで会う」と決めている人がいます。彼は、どうしてそうするのかという理由を次のように述べています。

「優秀な経営者の机には、私との商談に関するもの以外なにも載っていないのです。彼は私が訪ねて行くといかにも会いたかったという振舞いをします。こちらの言うことをよく聞き、的確な質問をし、その上で決断を下します。決断する前に誰かと相談しなくてはならない場合は、いつまでにどのような形で（電話か手紙か）返事が欲しいかということをたずねます。このような経営者は、まず信頼できるし、信頼を裏切られたことは一度もありませんでした。

反対に信頼できないのは机の上に書類を積み重ねておきながら、私との商談の資料がどこかに散逸してしまっているような経営者です。こういう人は何週間も前に面会の約束をしていたにもかかわらず、私に会うとびっくりしたり、どうして私が訪ねてきたのか思い出せなかったりします。絶えず忙しそうに書類をめくり、秘書に追加の書類を持ってこさせたりしますが、決断は優柔不断です。おそらくこのような人から返事をもらうためには少なくとも6回は催促の手紙を出さなくてはならないでしょう」

この話を聞いた時、彼は私の仕事場にいました。私の机には足の長さほども開封していない雑誌が積まれ、机の上には返事を書かなくてはならない手紙、チェックすべきリスト、サインすべき郵便物、こちらからかけ直す電話のメモが散乱して、手もつけられないような状態でした。私は、ひどく恥かしい気分になって「私に優秀な秘書さえいれば、こんな状態から逃れられると思うんだけど」と思わず言い訳をしてしまいましたが、彼は「それは疑わしいですね」と答えました。彼によれば、整理整頓にはルールというものがあって、秘書が何人いるかに関係なく「書類とのつきあい方」に一定の法則を持つべきだというのです。それは「**二度と同じ書類に目を通さない**」

ということなのです。そのくらいの覚悟をもって書類に接しないと、ものはたまる一方だということです。

あなたがマスターすべき仕事の方法

基本的にオフィスの仕事は家事と似ています。つまり「やってもやっても終わりがない」ということなのです。したがって、優先順位にしたがって、毎日できるだけのことをするしか仕事をこなす方法はないのです。**全てのことを片付けようなどとは決して思わないこと**です。

ここで大切なことは、周囲に「彼女はきちんとしている」ということを理解させることです。そして、与えられた仕事をすばやくこなしながら、必要以上にイライラせず、安定した精神状態でいること。そのためのいくつか具体的なヒントを紹介しましょう。

①郵便物

あなたの机の上には「イン」（入ってきた郵便物）と「アウト」（出ていく郵便物）のかごがあると思います。「イン」に郵便物が入ってきたらすぐに開封して中身をチェックすること。手紙やお知らせの内容があなたの仕事に直接関係がない場合は、ざっと目を通したら、すぐにゴミ箱に入れてしまって構いません。もし、他の人に回した方がいいようであれば、該当する人に迅速に回すこと。

返事を出す時は、なるべく速い方法を取るのがベストです。法律、お金、証明に関するものはコピーを取っておくことをお忘れなく。

②カレンダー

毎月のカレンダーには面会や会合などの予定を書き入れてしまい、記入したら必要のない案内状の類は捨てましょう。電話をしなくてはならない相手があったら、その相手の名前と番号も書き込んでおくと便利です。

③雑誌その他の紙情報

雑誌をためておいて後で読もうなどとは決して思わないこと。新聞、雑誌などは目次と見出しを読んで、必要と思われるものだけコピーするか切り取って、分類別のファイルに入れておくのがよいでしょう。緊急に必要でないものは読まなくてもほとんど支障はないはずです。読まずに処分してしまうことがどうしても気になるのだったら、目次をコピーしてファイルしておけば、後で記事を探し出す時に役立ちます。

すぐに読まなくてはならないものは、社内の発表物や辞令、組織の再編成のお知らせなどあなたの仕事に直結するものです。それ以外は、極論すれば読まなくて済ませられるものでしょう。

④個人のファイル

自分の仕事の業績に関連したファイルは決して捨ててしまわないことです。会社に置いておくよりも自宅に保管しておいた方が安全でしょう。あなたのしていることや仕事の成果はすべてコピーして、転職の時の資料になるようにきちんとファイルしておくこと。

あなたの仕事に対する好意的な手紙や礼状などは保存しておくとよいでしょう。あなたのファイルはあなたの仕事の歴史と業績を表わすものです。常にメンテナンスを続けて下さい。

⑤会社のファイル

必要ないと判断したファイルをいつまでも取っておく必要はありません。あなたが必要でないと思ったら、ためらわず捨ててしまうこと。何でもかんでも取っておくことがあなたにプラスになるとは限りません。もちろん、判断は慎重にすることはいうまでもありませんが。

⑥私物の扱い

家族の写真や個人的趣味の品はオフィスの習慣によっては許されるかもしれません。が、一般的には、職場ではプライベートな匂いは極力避けた方が賢明といえるでしょう。

置き傘や履き換え用の靴、化粧品などは、なるべく目立たないところに置いておくこと。これらの品は手元にあれば確かに便利ですが、おおっぴらに見せびらかすものではありません。

⑦上司のガラクタ

上司が私物を職場に持ち込むようだったら、そのようなスペースはないといってはっきり断わることです。できれば、夜にこっそり捨てて、お掃除の人が持って行ったことにするのも一案です。もしくは、箱に所有者の名前を目立つように書いて、あなたの所有物ではないことをはっきりさせることも効果的です。

⑧タイマー

台所用のクッキングタイマーで十分です。5分前に合わせておいて会議や出かける時間の目安にするとよいでしょう。効果的に使えば、あなたの来訪者をうまく追い出すことも可能です。ベルがなったら「これから、国際電話をかけなくてはならないの」と言えばよいのです。あまりベルの音が大きすぎないものを机の引出しにひとつ入れておくとよいでしょう。すばやく時間に正確に行動することはあなたの信用度をぐっと高めるはずです。

成功したビジネスマンは誰もが仕事を楽しみながらこなしています。誰の仕事もそれなりにハードですが、女性は男性よりもさらに一生懸命に働こうとする傾向にあります。しかし、目の前の仕事をこなすことだけに全精力を集中させて、もっと重要なことを忘れていたら本末転倒というべきでしょう。これまでも何度となく繰り返してきたことですが、「組織の中で働く」ということは、「常に周囲と競争する」ということなのです。あなたが自分の仕事に没頭すること自体は否定しませんが、それだけにとどまっていたら、いつの日か必ずそのツケが回ってきます。**組織で働くためには、あなたひとりで完結することよりも、周囲をじっくり観察すること、そして周囲からどう見られているかを的確に知ることが大切なのです。**

メモの効果的な使い方

オフィスには公式な回覧文書の他にインフォーマルなメモが行ったり来たりするものです。これは単なるコミュニケーションの手段としての意味以外に、シンボルと秘密の信号がひそんでいると考えるべきです。したがって、あなたは返事をする前に送り主の暗号を解読すべきです。

現実には、ほとんどのメモがさほど重要でもない情報をさも大ニュースのようにして送られてきますが、こんな場合、あなたは自分の名前のそばに「よいアイデア」「とても興味あり」「今後も情報を下さい」などと走り書きをして送り主に戻しておけば、その人はおそらく自分のメモに反応が返ってきたことに満足するでしょう。

メモは同僚同士でやりとりするばかりではありません。上司の中には洪水のようにメモを作っては自分の存在価値を実感したいと思っている人もいます。このような人は、部下をメモによってコントロールできると信じていて、どんな小さいことでもメモにしたがります。これは、大変な時間の無駄遣いなのですが、こんな場合は適当にあしらっておく（ただし、無視はしない）のが正しい対処法でしょう。

基本的には、あなたに関係のないテーマのメモだったら、ざっと見てすぐに他の人に渡すことです。それよりも、チェックしておかなくてはならないのは、受取人の名前のリストの部分です。あなたの名前がリストの後の方にあれば、あなたは送り主からはあまり好かれていないか、印象が薄いということを意味します。ここで、あなたは自分が社内でどのような位置にいるかを知ることができるのです。

基本的にはメモにはそれほど重要な情報はありません。重要なのは本文よりもそのメモがどのように社内を回るのか、つまり誰が送り誰がリストに載っているのか、そしてどんな返事が期待されているのかということです。ビジネス・ゲームに参加する限り、あなたはメモを分析しなくてはなりません。文字だけを受け取らず、あなたが知っている限りの社内の人間関係の知識を動員して読み解くようにすべきです。そして、重要なポイントは「誰が回覧リストからはずされているか」を割り出すこと。逆にいえば、あなたがメモを発信する際は、誰か別の人がこの点について読み解こうとするはずです。したがって、あなたは注意深く、自分のメモが運ぶ情報の内容をコントロールしなくてはなりません。

メモは、口コミでも代用されることがあります。しかし、口コミはひとりひとり伝達していく必要があり、内容面でもうわさ話にとどまることが多いものです。しかし、いったんメモとなると証拠も残りますし、書いたものは一人歩きして勝手にあちこちを旅してくれます。したがって、あなたは、メモを使うか（一度書けばあとは情報が自動的に拡散する）口コミを使うか（証拠が残らず情報が伝達できる）は、その特性に応じて使い分けるべきでしょう。そうすることによって、オフィスでの情報戦に勝ち抜くことができるのです。

ともあれ、メモに対して基本的にあなたが取るべき態度は、不快な内容のものには一切反応しないで放っておく。これにつきると思います。どんなことにも適度というものはあるはずです。あなたの貴重な時間をメモを作ったり、返事をしたりすることだけに費やすのはあまりに惜しいことではないでしょうか。

トイレを馬鹿にするべからず

トイレが職場の力関係のシンボルである、などというと、一瞬理解できない人も多いかもしれません。しかし、私はあえて言うことにします。トイレこそが、社内での女性の地位を明確に表わしている、と。

女性用トイレの場所や設備は、一般的に「狭い、汚い、少ない」の三拍子そろっているといえるでしょう。中には、近代的なビルに建て替えた際に、女性用トイレのアメニティも著しく向上させた会社もあるようですが、一般的に古いビルでは、女性用トイレはひどく冷遇されています。それはどうしてでしょうか? 理由は簡単、女性は「本来そこにいるはずがない存在」だったからなのです。

あなたが、社内で一定の地位を占めるようになったら、当然このようなトイレに対して改善要求を出すべきです。

トイレは、本来の目的以外に重要な情報交換の場としても機能します。ある女性管理職からは、いろいろなセクションの女性をトイレで眺めていて、これはと思う若手社員を自分の部に引き抜いてきたという話を聞きましたし、社内の各部署のゴシップを収集するためにトイレを活用している人もいます。要は、あなたや同僚の女性が働きやすい状況を作り出すひとつの拠点がトイレというわけなのです。

一般的に、男性は女性が女性同士で固まることを好意的には見ないという傾向があります。会社の中で、女性が何人か寄り集まっているとすぐに「ご婦人たちが集まって何をしているの?」といったからかい半分の声がかかる場合も多いことでしょう。しかし、トイレについては、完璧な男子禁制です。ドアをあけて「ご婦人がた何を……」というようなことは絶対に言えません。だからこそ、女性トイレを快適にすることに反対する男性がいるのです。彼らは、快適なトイレではより活発な情報交換が行なわれると恐れています。しかし、女性トイレが不便で不快な場所であれば、女性のネットワークを阻止できると考えるのはあまりに短絡的です。トイレが快適な場所でなければ、彼女たちはどこか別のところに情報交換の場を見つけるでしょう。私が聞いたところでは、日本の会社では給湯室やコピー機の近くがこのような機能を持っているということですが、やはり、トイレのようにリラックスできる場所の確保も大事だと思います。

ところで、もうひとつ覚えておくべきなのは、お掃除のおばさんとのつきあい方です。この人たちは社員であったり、人材派遣会社から派遣されてきた人であったりとさまざまですが、トイレには欠かせない人たちです。彼女たちには必要以上に愛想をよくしたり、媚びたりする必要はありませんが、少なくとも反感を持たれることだけは避けた方がよいでしょう。

具体的には、洗面台のまわりに髪の毛を散らかしたままで出て行くとか、会社の備品なら心置きなく使おうとばかり、トイレットペーパーをぐるぐると巻き取って手を拭いたりということは、印象がよくないので絶対にダメ。また、上司の悪口や噂なども、誰であるかがはっきり判別できるようにするのはかなり危険です。もっと危険なのは人事異動の話。これは、お掃除のおばさんからの情報で盛り上がるということもあるようですが、情報を手に入れたからといってトクトクと話したりはしないことです。

さらにもうひとつ、あなたたちからすればおばさんたちは皆同じように思えるかもしれませんが、おばさんたちは結構あなた方をしっかり見ていたりするものです。それなら、こちらもきちんと名前と顔を覚えて、「○○さん」と呼びかけるくらいはしたいもの。この程度の手間は決して無駄にはなりません。

子どもを職場に連れてくるとき

基本的には子どもはオフィスには連れてこない方がよいでしょう。周囲の人、特に男性はどんなに歓迎している様子を見せても、本心はおそらくこう思っているのです。「この女はどうしてこんなところにいるんだ！　家でおとなしく子どもの世話をしてりゃいいものを」

しかし、子どもからすれば、母親の働く場所に興味を持って当然です。働く母親も、子どもに仕事場を見せれば、なぜ残業や出張をしなくてはならないか、どうして仕事場から私用電話がかけられないかをわかりやすく説明できるので、子どもの理解や協力を得られやすいでしょう。

既に、いくつかの会社には「子ども（もしくは家族）招待デー」が設けられています。もし、あなたの会社にそのような特別の機会がなければ、あなたが独自に作ってしまうこともできます。比較的仕事の少ない年末などがよいでしょう。あなたの退社時間の1時間半くらい前に子どもがオフィスに到着するようにはからって、あなたの仕事場を案内するのです。もちろん、同僚や上司にも子どもを紹介します。この方法ならあなたにも周囲にもそれほど負担もかからず、子どもも満足するのではないでしょうか？

家庭と仕事の両立について

これは働く女性にとって普遍的な問題とされていますが、実はこのことが「女性の問題」と限定されていること自体に、私たちはもっと疑問と怒りを持つべきではないでしょうか？

家庭とは女性だけが作っているものではありません。男性がいて初めて成り立つ場合がほとんどです。（近頃はレズビアンのカップルや同性の共同生活者を持つ人もいるので、断定はできませんが）その場合、男性には「家庭と仕事の両立」が求められなくて、女性にだけ求められるということは、どうにもおかしなことではありませんか？　私は女性に仕事と家庭の両立を求めるよりは、男性に同じことを求めたいと思っています。

率直にいって、子どもを持つ人が家庭と仕事を両立させようと思ったら、ライン部門の仕事はなかなか難しいでしょう。スタッフ部門の補助的な仕事をしていれば、時間がきたら「今日はこれまで」で帰れるでしょうが、それでは、仕事自体の楽しみを知ることは困難です。その結果、現実には多くの女性が家庭との両立を理由に将来性は乏しいが勤務時間がはっきりしている仕事を選んでいます。

しかし、これも中途半端な立場でいるからこそ周囲を気にして行動しなくてはならないのであって、あなたが権力者であれば、あなたの都合に合わせて仕事を回していくことだって十分可能なのです。

『ワーキング・ウーマン』誌などの働く女性のメディアには、切迫流産の危険のある女性社長が、入院先で会議を開いたというような話や、育児で通勤が困難となった女性管理職が在宅勤務でそのポジションを立派に務めているというような話が紹介されています。**あなたが重要な人物であれば、周囲の人間はいくらでもあなたに合わせてくれる**でしょう。したがって、家庭と仕事を両立させたければ、十分に昇進してから子どもを持つという方法を取ることが一番シンプルな解決法です。

もちろん、すべての人がこの方法を取るわけにはいかないでしょう。もし、あなたが若くしてワーキングマザーとなった場合、あなたが取るべき道は2つ。ひとつは、夫に全面的に協力を求めるやり方です。この場合、彼も100%仕事に没頭はできなくなりますから、昇進のレースからはしばらく降りることになります。これは確かに痛手かもしれませんが、夫婦二人で負担を分ける方が、あなたひとりにしわ寄せがくるよりまだよいのではないのでしょうか。
「彼にそんなことはさせられないわ！」というあなたは、おそらく思いやりに満ちた人なのでしょう。しかし、彼はあなたに対して同じように思っているでしょうか？おそらく、「彼女は女なんだし、家庭中心で仕事はできる範囲でやってくれればいい」と思っているのではないでしょうか。そうであれば、あなたのキャリアはもともと彼にとってたいしたものではないのです。あなたが仕事を続けようと辞めようと彼は一向に家事や育児に協力的にはならないでしょう。そうなった場合は、次の方法を取るしかありません。
2つ目の方法は、誰かにすべて委ねてしまうということです。極端な話、あなたが担当する家事は家計の予算を立てることだけに限定してもよいでしょう。（こればかりは誰かよその人に頼むわけにはいかないでしょうから）
子どもの世話から炊事洗濯まで、お金を払って人にやってもらうのです。そうすれば、あなたも夫も家事からは解放されます。もちろん、この方法を取れば、お金は莫大にかかります。しかし、あなたが今の仕事を捨てて料理や育児をするのと、あなたの給料がそのまま家事の担当者に支払われるのとを天秤にかけた場合、おそらく一生の収支決算は、後者の方が黒字になるのではないでしょうか。

いうまでもなく、家事を誰かに委ねることはかなりの妥協が必要です。第三者はあなたの好み通りの家事をしてくれるとはかぎりません。プライバシーも完全には守ることは難しいでしょう。しかし、任せるからには小さなことには目をつぶることです。このことは、おそらくあなたがビジネスの上で既に学んだことではありませんか？

第11章　賢い自己主張法

「アサーティブ」であることを学ぶ

「アサーティブ」は日本語でいえば「感じの良い正当な自己主張」とでもいうのでしょうか。

多くの女性が「自分を主張する」という習慣には慣れていません。ほとんどの女性にとって、これは新しく学ばなくてはならないスキルです。これまで、女性の多くは無力であることを「典型的な女らしさ」と思い込んでいました。女性たちは、やさしく、親切で、従順であるということがあるべき姿だと思ってきたのです。しかし、このような育てられ方をした人間がビジネス社会でリーダーとなったとしたら、おそらく自分のあるべき姿と自分にとって心地のよい姿が対立してしまい、非常に苦しむことでしょう。

それを反映するように、女性を対象としたビジネスセミナーでは「アサーティブ研修」に人気が集まり、同じテーマの出版物もたくさん発行されています。しかし、ここで大切なのは、「アサーティブであること」とは「自分の欲しいものをしっかり手に入れる。ただし、相手に反感を与えずに」ということを理解することです。「欲しいものを手にいれよう」とするあまり、必要以上に攻撃的に振舞うのは賢くありません。だから、できるだけ毅然《きぜん》と行動することは必要ですが、周囲に対して脅威とはならないことをはっきりアピールすることも重要です。

必要以上に神経質にならないこと

どんなスポーツでもプレイヤーは自信を持ってプレイをするように教えられます。もし、自信なさそうな態度でゲームに参加していたら、対抗チームはすかさずそのプレイヤーに集中攻撃をかけてくるでしょう。ビジネス・ゲームについても同じこと。

あなたは自分の仕事上の役割を恐れることはありません。ただ、それを「演じる」ことができればよいのです。

もし、あなたが重要な会議に紅一点で出席しなくてはならないような状態に置かれたら、目立たないように行動するのはやめましょう。どんなに目立たないように振舞っても、あなたは注目されているのです。それなら開き直って、どんどん積極的に発言し、その場の雰囲気を自分のペースにしてしまう方が賢明というものです。これは、会議に限らず、どのような場面についても応用できます。**あなたは、自分に与えられたチャンスを恐れず、十分に利用する態度を貫くこと**がゲームに勝つ秘訣です。

注目される立場の女性の処世術

女性が管理職や経営に参加する立場になった時、彼女は物理的にも心理的にも人目にさらされることになります。周りの人は常に彼女に注目して彼女がどう行動するかを見ていることになるからです。そんな時、多くの女性が犯す失敗は、「自分の仕事の内容が変わったことに気づかない」ということです。

管理職になるということは「仕事そのものをうまくこなす」ということではなく「いかに他人に仕事をさせるか」ということです。出世した女性は、あまりに有能であったために、何でも自分でやろうと思い、部下に仕事を回さなかったり、あくまでも自分の上司の承認を得ようとしたりします。

また、彼女の上司は、そんな彼女に対して過保護な親のようになり、必要以上に口出しをしては、既に管理職にある彼女の権威を傷つけてしまうような行動を取ったりします。

めでたく管理職となったあなたが考えるべきことは、部下に対してどのように指示を出すかということです。的確で過不足のない指示を出せるかどうかで、あなたの管理職としての資質は評価されるのです。そのためには、オフィスの人間関係やゴシップなどにも十分通じておく必要があります。管理職であることは、より多くの情報収集をすることでもあるのです。

シャロンの部下管理術

友人のシャロンは、私の周辺でもっとも優れた女性管理職です。彼女は、5年の間に3回の昇進を果たし、実質的な副社長レベルにまでのぼりつめました。そんな彼女に成功の秘訣を聞いてみました。

「私はあるポジションについたら、一番最初に、私の部下で私の地位を欲しがっている人間はいないかチェックします。そういう人間は私を憎んでつぶしにかかるから要注意なのです。その人間の割り出しができたら、私は最初の1ヵ月の間に昼食に誘います。そして相手の人となりをじっくりと観察するわけですね。その後で、その人を手なずけるか、追い出すか、処理の方法を考えます。

周囲に私をいじめる人がいたら、しばらくはそのままにしておくとよいでしょう。私はわざと抜け穴を作ってみんなの性格を見ることにしています。たとえば、口頭で指示を与えてもその後の確認をしないでおくのです。そうすると、指示を受けた人間が正確にそれを実行しているのか、私の意思をわざと曲げるのか、それとも私の命令には決して従わないのかをはっきり知ることができます。

新しいポジションに着任してからしばらくは、自分がスポンジになったつもりで個人情報やオフィスのゴシップ、さまざまな個人に対する有益なコメントを聞いて回ります。なぜなら、一緒に働く人の状況を知ることは、自分が探検する場所の地勢を知るようなことですから。誰と誰が仲が良くて、誰が信用できて、誰が信用に値しないか、これは、友人を作る際にも無意識に行なっていることではないでしょうか。それなら、仕事においてはさらに慎重にそれらを行なう必要があると思うのです。

人間関係の他には、職場の慣行についても十分調査する必要があります。どこの職場にもある一定の基準と習慣が出来上がっているはずです。たとえば、お互いをどう呼びあうのか——名字かそれとも何か別の名前なのか、回覧用のメモはどのように回されるのか、出社や昼食のパターンはみんな同じ時間になるのか、それともフレックスタイムでバラバラなのか。このようなことは、小さなことではありますが、あなたの部下たちは慣れ親しんでいるシステムがあなたによって簡単に変えられるのを快しとはしないでしょう。あまりきつく絞め上げると、彼らは一緒になって新しい上司に反抗し、妨害する可能性もあります。したがって、何かを変える時は慎重に状況判断をしてからでも遅くないと思います。要は、あなたが管理職になったら、あなた自身がどうであるということよりも、周囲の状況に通じていることが何よりも大切といえるのです」

シャロンは、ずばぬけて鋭く用意周到です。彼女は現在も男性ばかりの部の部長として活躍していますが、部下たちは女性の上司など持ったことがなかったので、最初はかなりとまどった様子だったようです。しかし、彼女は、自分がいかに頭がよくて有能であるかということを見せつけるようなことは決してしませんでした。それは非常に初歩的なテクニックなのですが、残念なことに、多くの女性管理職はこのテクニックすら身につけていないようです。そのような人は、部下を持っても苦労するばかりです。**「自分が何をするかということ以前に部下が何を考えているかを知る」**という鉄則は、ちょうど縄飛びにたとえられます。

あなたが連続100回ジャンプに集中するとしましょう。その際に必要なのは、協力的に縄を回す人間です。もし、縄の回し手が協力的でなかったら、わざと速度を急におそくしたり、速くしたりしてジャンプする人が縄にひっかかるようにするでしょう。そうなったら、あなたはジャンプの技術だけでなく、縄の回し手を懐柔しなくてはなりません。これは、管理職のおかれた状況と非常に似ています。

管理職が新しい仕事について慣れるまでの期間を「あなたの足を机の下に入れる」と表現することがあります。これは、「部下についての調査をして自分の部署の状況をつかむ」ということです。成功する管理職は、シャロンが言っていた「地勢を調べる」ことにたっぷりと時間をかけます。

これは、レベルこそちがっても、管理職ではない人にも応用できることではないでしょうか。新しいセクションに異動したら、上司の評判ややり方を周囲の人からまず取材することです。これは、あなた自身が管理職である場合よりもずっと容易に情報収集ができるでしょう。なぜなら、あなたの周囲には情報を提供してくれる「仲間」がたくさんいるからです。

伝統的「女役割」から自分を守るために

あなたにどんなにやる気があっても、昔ながらの男尊女卑の考えを持つ上司のもとで働かなくてはならないこともあるでしょう。女性とみれば、自動的に秘書かアシスタントとしか考えられない男性は非常に不快な存在です。そのような男性上司や同僚に遭遇した場合、対抗手段は、秘書のやるような仕事を一切しないこと。あなたが好意でやった仕事も彼には、あなたが「女性の役割」に満足していると解釈され、感謝されるどころかもっとたくさんの仕事を言いつけられるおそれがあります。

具体的には、会議には筆記用具やタイプライターなど記録に必要な道具は持ち込まない。あなたは、全てを頭の中にたたきこんでしまうのです。これは面倒なことのようですが、そこまでしないとあなたが書記役にされるはめになるでしょう。

タイプやワープロについては、たとえあなたが熟達していても決してそれを明らかにしないこと。あなたがすばやくキーボードを打てることが周囲に知られてしまうと「ちょっと頼むよ」という余計な文書の仕事が舞込んでくる可能性もあります。

コーヒーを入れたり、昼食の注文を取ったりすることも管理職やプロフェッショナルのする仕事ではありません。このような仕事をすると、腰が低いと思われるよりも見下される可能性の方が高いでしょう。どうしてもしなくてはならない事態になったら、おそろしく不器用にやるのもいいでしょう。できるだけ多くの人にあなたはこのような作業は不得手であるという印象を植え付けるようにしましょう。そうすれば、周囲はこう考えるはずです。

①彼女はこういう仕事はしたくない。

②彼女の本来の仕事に関係なく、召し使い的仕事を押しつけてしまった。
③彼女に雑用を頼むと混乱をまねくだけだ。

もっとやらなくてはならない仕事がある時に、小さな雑事に心を奪われていてはいけません。とかく、女性には「気配り」が要求されるのは、どの社会でも同じですが、**ビジネス・ゲームでは与えられたポジションを守らない人間は高い得点を得られない**のです。野球場で自分のベースを守らず、ゴミ拾いをするようなプレイヤーは信頼されないのと同じように。とかく、女性は腰を低くすることを求められがちですが、**やるべき仕事とそうでない仕事をはっきりさせるのは、決して尊大なことではありません。**

賢いプレイヤーであるために

あなたの上司が順調に昇進をしていれば、部下のあなたも彼（女）との関係をうまく維持していく限り安定した将来を期待できるでしょう。しかし、問題はあなたの直属上司が明らかに組織の中で敗北者となった場合です。このような状態では、あなたは彼（女）の下にいても多くを望むことは難しいでしょう。その場合、昇進を望む女性は「命令の鎖」のルールを犯さない形で上司を飛び越えて上司の上司にコンタクトを取るように行動します。

組織の中で仕事を続ける限り、あなたは意識的に他のセクションの人々と個人的なコンタクトを持つべきです。どこに新しい仕事が待っているかは誰も分かりません。どの部に属するのか分類が困難な仕事もあるかもしれないのです。そんな時、他のセクションとのつながりがあなたのチャンスを増やしてくれるのです。あなたの属するセクションを越えて、社内的に注目を集めるためには、企業ぐるみのプロジェクトに参加することです。これは、献血でもよし、リサイクル運動でもよいでしょう。どんな形でも他のセクションの管理職に直接接する機会を作っておくことはあなたの昇進にどれだけプラスに働くかしれません。

会社の外にもネットワークを持つ

あなたの仕事や人脈が社内だけにとどまらないように、業界や取引先との会合にも積極的に参加するとよいでしょう。パーティや勉強会などにも積極的に参加することで人脈も知識も広がります。会社が参加費を負担してくれない場合は、自腹を切ってでも参加する価値はあります。

ここで得られるものは単に、人脈だけではありません。マネジメントの技術のトレーニングもできる可能性もあります。社外のこのような団体では階級がルーズですから、「命令の鎖」はありません。したがって、あなたが年齢的にはまだ若くても幹部になる可能性も十分あるといえるのです。こういった会に参加し続けるのは時間も取られるし、イライラもすることでしょう。それでも人を動かす訓練ができることは何物にも代え難い経験です。仕事に関連した組織なら情報や知識も増えて一石二鳥です。このような活動で名前を知られるようになることは、長い目で見れば、あなたの仕事の上でも有利に働くことでしょう。

多くの人が仕事は同じことの繰り返しでつまらないと不平を述べています。しかし、本当のところ、ほとんどの仕事はそうなのです。仕事に興味を持ち続けるためには長期的な目標を設定して、とにかく働き続けること。これにつきるのです。しかし、あなたが昇進や仕事の幅が広がることから排除されている限り、何も変わりません。そのような場合は自分から積極的に行動して、とにかくチャンスを探すこと。仕事をゲームと考えることができれば、一見繰り返しのように見える仕事もそれなりに興味深いものとなるはずです。

第12章　成功のためには何を着るべきか

着るものもシンボルである

男性の仕事着は基本的にはダークスーツです。もちろん、業界によってもかなり多様性があり、無頓着に選ぶ人もいるようですが、一般にエグゼキュティブと呼ばれる人たちは、それぞれに自分がどう見えるかについて十分気を使っています。襟の幅やダーツ、肩パッドの入り具合、ボタンホールの縫い目、そして何よりも重要なのは色と素材です。さらにスーツと一緒に着るシャツ、ネクタイ、靴、靴下といったものもその人のイメージを決定する時に影響を与えます。このようなことは、ジャンヌ・モロイ著『キャリアウーマンの服装学』（訳者注：日本語版は犬養智子訳、三笠書房）

に詳しく書かれていますが、仕事の際に何を着るかは決してないがしろにできる問題ではありません。

女性が仕事で何を着るかについては、これさえ着ていれば安心というものがないのが大きな問題です。一番安全なのは、男性のダークスーツに相当する目立たない色調のスーツですが、これでは、圧倒的多数の男性の中で沈んでしまうおそれがあります。しかし、だからといって派手な色調のものを着ればよいかといえば、そうともいえません。何を着るかは、あくまでもその場の雰囲気とあなたの立場によって左右されるものと考えるべきでしょう。

ただし、女性の場合、秘書とプロフェッショナルとは明らかに異なる服装をすべきです。プロフェッショナルのあなたは、十分注意して「秘書風」にならないようにしなくてはなりません。このためには、誰かお手本になる人の服を注意深く観察して、その色調や感じをつかんでおきましょう。

仕事には基本的にはスーツが望ましいでしょうが、上にジャケットをはおれば、ワンピースもOKです。ただし、スカートの場合、丈は膝丈まできちんとあるものを選んでください。ミニスカートは絶対にダメです。また、逆に極端に長い丈のものも避けた方がよいでしょう。

パンツスーツは、意外と仕事着によいものです。ただ、きちんと折目がつけられ、パンツの丈が十分であればの話ですが。

望むような仕事着が見つからない場合は、紳士服のテーラーに相談してみると良いでしょう。テーラーでは女性用のスーツも仕立ててもらえるはずです。よい布地を使ってよい仕立てで洋服を作るとまるで「第二の皮膚」のように感じます。その感覚を知ってしまうと、二度と完璧にフィットしない衣服を着たくなくなると思います。その感覚を知ることが大事なのです。

それから、これは蛇足かもしれませんが、あなたが何を着るかは「あなたの上司が何を着ているか」にも多分に影響されます。もし、あなたの上司が安物の衣服を着ているような人の場合、あなただけがよい仕立ての服を着るのはやはりまずいのです。その場合は、彼（女）の服を基準にしてそのレベルに合わせた服を着ることです。この場合は経済的には問題にはならないでしょう。逆に、グレードの高い服を着ている上司の下で働く場合は、借金をしてでも、よい服をひと通り揃えるくらいの覚悟が必要です。何を着るかはそのくらい大切なことなのです。

仕事のための装い

◎原則的にはひとつの店で揃えること
あなたの好みの服を扱っている店が決まったら、そこでひと通りのものを揃えると、コーディネートしやすいでしょう。担当者に、自分の手持ちのものと今度買いたいものを言っておけば、色や品質がマッチするものを揃えてくれるはずです。このような買い方は費用はかさみますが、洋服選びにかかる時間とエネルギーを大幅に軽減してくれます。

◎歩きやすい靴を探すこと
歩くことを前提とした女性の靴はいまだに少ないのが残念です。かかとが高すぎない、足に優しい靴を探して、自分の定番とすることをお勧めします。あなたの足の状態によく合った靴のメーカーや型番をメモしておくとよいでしょう。

◎ポケットのある服を買うこと

女性の服にはなぜかポケットが少ないのですが、ジャケットなどを仕立ててもらう時にはぜひとも内ポケットをつけてもらうと便利です。既製品の場合は、なるべくポケットがついていてメモや筆記用具などが入れられるものを選んで下さい。また、仕立ててもらう場合は、最初からポケットを作ってもらうことを頼んでおくことです。

◎大きなハンドバッグを持たないこと

女性の服にポケットがないおかげで、多くの女性がさまざまなものをハンドバッグに入れて持ち運んでいます。しかし、商談や打ち合わせに本当に必要なものは、筆記用具とクレジットカード程度のはず。それなら、ジャケットにポケットさえあればあなたは手ぶらで出かけることができます。大きなバッグは、通勤の時だけで十分。通常はオフィスの机に置いておいて、あなたは身軽に行動するべきではないでしょうか。どうしてもという場合は、スリムなバッグを持つのもひとつの方法です。

◎アクセサリーは少数精鋭で

派手なものはビジネスの場にはふさわしくありません。一、二点、品質の良いものをつければ十分です。ちょうど、男性がカフスかネクタイピンに宝石を使っている、その程度でよいのです。良質の腕時計をつけることは実用とおしゃれを兼ねられるでしょう。

◎香水

基本的にはつけない方がよいでしょう。匂いによっては閉め切った会議室で他人の迷惑になります。基本的には、プライベートで楽しむべきものでしょう。

◎お化粧や髪型

ビジネスの場で、お化粧や髪型があまりに印象に残ってしまうのは問題があります。仕事場ではナチュラルメークが望ましく、さらに机についている時に口紅を取り出したりはしないように。髪型もあまり凝ったものだとセットするのに手間もかかりますし、乱れた時に直すのも大変です。やはりシンプルで扱いやすいスタイルがよいでしょう。

もし、誰かがお化粧や服装についてコメントをしてくれるようだったら、ありがたく耳をかたむけることです。特にそれが、信頼できる上司や先輩からだったら、すぐに従うこと。それによって、あなたのビジネスにおける立場が有利になることだってあるのです。

第13章　ビジネス・ゲームの落とし穴

誰も教えてくれなかった本当のこと

女性はセックスに関することについて、本当に話したがらないものです。キャリアセミナーなどで、このテーマを持ち出しても、どうしてもフランクな雰囲気にはなりません。しかし、わざわざこの章を設けたのは、仕事において、セックスの問題は避けて通れないという事実があるからなのです。

「仕事の場にセックスを持ち込むのはルール違反である」というのは、表向きのルールです。実際には、多くの男性が（時には女性もが）セックスを仕事に利用していま す。しかし、あなたがセックスを仕事に利用しようと考えているのなら、それは非常に危険です。なぜなら、セックスがらみの問題は、あなたにとっては失うものが大きく、相手の男性はなにも失わないという可能性が極めて高いからです。

ビジネス社会は明らかに男性社会ですから、男性にとって甘く、有利なゲームのルールができあがっています。例えば、異性とのトラブルがあっても、男性の場合は仕事ができれば不問に付されることも多いのですが、女性の場合は、仕事そのものまでも否定されてしまう可能性もあります。全く不公平なことですが、このような状態をあらかじめ知った上で慎重に行動することが望ましいでしょう。

私は、「ラブ・ライフを全て諦めるべし」といっているわけではありません。ただ、仕事がらみのセックスや恋愛には十分注意するべきだといっているのです。男性社会は女性をあらゆる面でコントロールすることを基本的な秩序と考えていますから、セックスを使って女性を支配することは男性にとっては力の象徴となります。しかし、女性にとっては従属を表わすこと以外の何物でもありません。男性の間では、社内の地位の高い女性を「落とす」ことが勲章になり、一般のOLや風俗産業で働く女性になるとポイントは低くなります。つまり、女性をセックスを使って引きずりおろすことが、彼らにとっての「ゲーム」であるということなのです。

悪いことは言いません。恋愛は、原則的に会社の外でするべきです。これだけは守って下さい。

オフィス・ラブについて

同僚や上司と恋愛関係になった女性は基本的に競争から排除されるのが鉄則です。それが、いわゆる「純愛」であれ「不倫」であれ、彼女は「不良品」のレッテルを貼られることになるでしょう。（唯一の例外は、当事者同士が結婚してしまうことです）
なぜ、そうなってしまうのでしょうか？　それは、第2章で述べた「命令の鎖」とオフィス・ラブとは相反するものだからです。部下とベッドを共にした上司はもはや部下に対して権力を行使できなくなってしまいますし、部下は上司に従えなくなります。これは、あくまでもピラミッドの中での秩序を求める会社においては望ましくないことなのです。
オフィスでのセックス・パートナーに自分の地位を奪われてもいいという男性はおそらくひとりもいないでしょう。もし、オフィス・ラブが発覚して、結婚する可能性もない場合は、彼は彼女をやっかい者として切り捨てるだけです。こんな場合、彼を

「人でなし」と考える周囲の男性はまずいません。それどころか、彼を応援する側に回るのではないでしょうか。

万が一オフィスの中で恋人が出来てしまったら、用心深く他者に気付かれないように注意することです。それが、あなたの社内での地位を守ることになるのです。

仕事で「女」を使えるか？

オフィス・ラブについても否定的な見解を述べたのですから、当然「女性」であることを仕事に使うなど、もってのほかだと思います。男性は女性がセックスを仕事の上での武器にした場合、どれだけ彼女の将来を傷つけるかを知らないのです。だからこそ、女性に対して半ば冗談にしても「女は色じかけで契約が取れるからいいよなあ」というような発言をしたりするのです。

クライアントや上司に対してセックスを使って食い込むことは、非常にリスクの高いことです。相手の男性が十分に権力を握っている間はそれでも何とかなりますが、彼が一度その力を失ってしまったら、あなたの地位は修復できないくらいひどいものとなります。

上司との肉体関係はあなたのキャリアにとって何もよい結果をもたらさないでしょう。これは、先ほども述べた「命令の鎖」に違反したからです。上司と部下の関係は一定の距離を保つべきなのです。これは社会的にも肉体的にもいえることです。部下に弱味を見せてしまった上司は、彼女を辞めさせるか、自発的に辞めるように持っていくでしょう。そのような事態に陥らないようにするためには、あなたは毅然とした態度を取ることと、注意深く危険を回避しなくてはなりません。セクシュアル・ハラスメントの対処法についてはすでにさまざまな参考書がでていますから、読んでおくのも賢明でしょう。

ところで、上司と秘書とが肉体関係を持つことはしばしば見られることです。しかし、これはほとんど問題にもされません。なぜなら、秘書の仕事はピラミッドの中に存在していないからです。彼女が仕事をまじめにやっている限りにおいては上司とできていようが、そうでなかろうが、社内でそのようなことに関心を持つ人はいないでしょう。つまり、セックスに近寄らないようにすることは、あなたが補助的な仕事をしている存在ではなく、プロフェッショナルであることのひとつの証となるのです。

中傷や偏見のかわし方

このようにセックスに対して注意深く振舞うと必ずといってよいほど、「かたぶつ」「男嫌い」果ては「レズビアン」といったような噂が流れたりします。仕事のできる女性は、とかくこのような中傷には慣れていないため、オドオドしてしまいがちですが、こんな時に慌ててしまうのは、相手につけこまれるだけです。落ち着いてにっこり笑って「私が男嫌い？　あらそのように見えるかしら？」ととぼけたり、「レズビアン、私の友達にもいるのよ」と軽くかわすのが賢明です。

もし、あなたが本当にレズビアンであったとしても、それをわざわざ公言する必要はありません。おそらく誰もあなたが同性愛者であることは知らないはずです。ただし、女性の上司や部下を恋人にはしないこと。同性であろうと異性であろうとオフィス・ラブは「命令の鎖」に反することになるのです。

セクシュアル・ハラスメントへの対処法

少なくとも働く女性の過半数はセクシュアル・ハラスメントの経験があるのではないでしょうか。既に知られているように、セクシュアル・ハラスメントとは、仕事上の地位を利用して性的嫌がらせを行なうことです。これは、職場でワイ談をするといった言葉によるものから、体に触ったり肉体関係を迫ったりという具体的な行為までいろいろなケースがあります。

この場合、黙っていてはいけません。できるだけ騒いで、当事者を会社にいられなくなるようにしむけるのが正しい対処法です。しかし、ここで「命令の鎖」の存在がまたまた浮上してきます。不幸にしてあなたの上司がセクハラの犯人だった場合、あなたは「命令の鎖」に反することになります。その場合、彼よりもさらに力を持つ立場の人間に頼るしか方法はないでしょう。社長や会長に直訴するという手も考えなくてはなりません。彼らに対しては、セクハラは会社の生産性を低くしているという観点から訴えるのが最も効果的でしょう。

それでも決着がつかない場合は、最後の手段として裁判に訴えるべきです。その時のためにも、あなたに対していつ、誰が、どんなことを行なったかは克明に記録しておくこと。これが後になって重要な証拠になります。もし、会話を録音していたり、手紙をもらったりしたらそれも取っておくとよいでしょう。

セクハラというところまでいかなくても、それに準じるようなことは、日常的に行なわれているのではないでしょうか。具体的には、女性の個人的なプライバシーに関することが、採用や昇進などに常に影響することが挙げられます。月経のこと、家族計画のこと、家事のこと、夫の職業など直接仕事に関係のないことが、まことしやかにたずねられ、女性もそれに不用心にも答えてしまっています。しかし、このような質問には答える必要などありません。そもそも男性に対して避妊法をたずねる会社があるでしょうか? 子どもについての質問も、子連れ出勤をするつもりがなければ、最低限の答えで十分でしょう。

「お嬢さん」とか「○○ちゃん」とかいった親しげな呼び名も考えものです。これは特にクリエイティブな分野の仕事で見られる傾向ですが、この呼び方の裏には女性に対する蔑視がほのめいています。なるべく早い時期にあなたはきちんと名前を呼んで欲しいことをはっきり伝えた方がよいでしょう。

よく、上司と飲む時に彼が「今日は会社を離れて個人的な話をしたい」などと言い出すことがあります。そんな時に調子にのってプライベートな話をしたりはしないこと。あくまでもあなたのキャリア・プランを中心に話すのが正しい対処法です。あなたの個人的な趣味や交友関係などは彼にとっておそらくは何の意味もないことです。仕事で知り合った人間関係はあくまでも仕事の話をするものです。

正しいお酒の飲み方

社内での地位が上がるにつれて、あなたも頻繁にパーティや飲み会に出席しなくてはならなくなることでしょう。そんな時、絶対に酔っ払ってはいけません。周囲の人は酔いつぶれてもあなただけはシャンとしていなくてはならないのです。ただし、お酒の場にはせっせと顔を出すことが重要です。お客には酒をすすめ、何ヵ所か馴染みのバーを持つことができればよいでしょう。つきあいはなるべく断わらない方がよいのです。お酒の席にいることは情報収集にも役立ちます。そんな時、馴染みの店があれば、あなたにはさりげなくアルコール抜きの飲み物を用意してもらえるでしょう。

さて、往々にして男性は酔いに任せてあなたに不快な振舞いをするかもしれません。

そんなことがあったら、まともに応対しないで、さっさと忘れること。彼らの醜態は見なかったことにしてあげるのが情というものです。もし、酔った相手があなたに肉体関係を強要するようなことがあったら、同席している他の男性の助けを求めて切り抜けてください。相手は、自分のみっともない姿をあなたに見られたことであなたを逆うらみするかもしれないのです。とにかく、その場を離れ、彼をひとりにしてしまうことが賢明です。

終章　ゲームはここから始まる

通常、本は最後の章でおしまいになります。しかし、この本は、ここからが始まりです。私は、この本を「ゲームの解説本」として書きました。この本を読んでくださったみなさんは、これからゲームに参加することになるのです。

ビジネス・ゲームとは、見ているだけではそのおもしろさは決してわかりません。参加して初めてその醍醐味がわかるというゲームです。私は、これまで観戦するだけだった女性にもぜひともゲームに参加してもらいたいと思います。具体的なゲームの方法は、その人が置かれている環境や仕事によって異なることでしょうが、基本的な知識は共通部分がかなりあります。この本では、その部分についてかなり詳しく解説したつもりです。

これまで、ビジネスの世界は女性には向いていないという通説がまかり通っていました。しかし、いったんゲームのルールを知ってしまえば、あなたも立派にプレイヤーになれるはずです。どんな仕事をするにせよ、あなたはかなり長い時間を仕事のために費やさなくてはなりません。それなら、全く見返りのない観客の立場でいるよりは、スリルもチャンスもある参加者の立場になった方がずっと楽しく、意義のある人生が送れるのではないでしょうか？

どのような形であれ、ビジネス・ゲームはあなたの人生を価値あるものにするだろうと私は確信しています。このところ、『バックラッシュ』などという言葉でも表わされるように、女性に対する反動的な動きが見られています。その中には「女性はビジネス社会での成功を決して望まない。彼女たちが望んでいるのは平和な結婚生活だ」「女性の居る場所はやはり家庭である」「子育てや家事をやることも職業的に自立することと同様大事だ」といった論調が見られますが、これもあくまでも個人の選択に委ねられるべきものです。また、逆に「女性がビジネスの社会に進出すれば社会に何かすばらしい影響を与えることができる」といった妄想もそろそろ消え失せてもよい頃でしょう。「女性は正義感があり、ビジネス界を浄化する」「女性ならではの視点がビジネスには必要だ」などといった幻想も、「女性は感情的なのでビジネスには向かない」という偏見同様お払い箱にしたいものです。

このようなおかしな思い込みを払拭するためにも、なるべく多くの女性がビジネス・ゲームに参加して欲しいと私は思います。多くの女性がゲームに参加すれば、ルールを変えることも十分可能になるでしょう。また、多くの女性がプレイヤーとなることで、女性がひとくくりにステレオ・タイプに押し込まれる可能性も低くなり、ひとりひとりが個性を生かして働いていくこともできるようになるはずです。

最後にもう一度繰り返しますが、**ゲームのおもしろさは、参加しなければ絶対にわかりません。**参加する・しないはあなたの自由です。しかし、せっかく一度きりの人生、チャレンジしないで終わらせてしまうのはあまりにもったいないではありませんか。成功するかどうかは別にして、とにかくチャレンジしてみることです。ほんの少しの勇気さえあれば、あなたの未来は想像できないくらい広がるかもしれないのです。

『ビジネス・ゲーム』金言集

あなたにとって必要な箇所に直接アクセスできるようにページも書いておきました。心に響く言葉があったら、ぜひその章も一緒に読んでみて下さい。きっと、あなたの問題の解決のヒントとなることでしょう。

◆働くことの本質を知りたい時に

ビジネスの社会では、単に誠実に務めることだけが全てではありません。集団の中でどのように動くか。このことが、あなたの仕事の内容やチャンスや昇進に密接にかかわってくるのです。（第1章19P）

女性の多くは、「自分に能力さえあれば、キャリアを追求することができる」と信

じてしまいがちです。しかし、それは必ずしも事実とはいえないのです。（第1章21P）

あなたが自分に与えられた機能や責任の範囲を越えて仕事をしてしまうことは、実は会社に「食いもの」にされてしまうことです。（第2章29P）

わざわざ意識して何かを「演じる」つもりはなくても、仕事をするということは、何かの「役」をすることです。あなたの周囲を見回しても、みんなそれぞれの役を演じているのではないでしょうか？　それなら、あなたも堂々と自分の役になりきって「オフィスの自分」という役のキャラクターを演じることです。（第5章66P）

あなたは「よりたくさんの仕事をこなすことが昇進につながる」と思ってはいませんか？　それは、必ずしも正しくはありません。あなたが身につけるべき能力は、自分のやっている仕事を管理職の視点で客観的に眺めてみるということです。（第6章75P）

仕事というものは、常に妥協が必要なものです。なぜなら、それはいつも時間の枠の中で行なわれるものだからです。あなたが上司に命じられた非常識な量と締切りの仕事を息も絶えだえになってこなしても、それはあなたの評価につながるとは限りません。（第6章77P）

女性の多くが「やりがいのある仕事」を求めて時間を費やし、転職を繰り返しています。これは、私から見れば、非常に時間のムダです。キャリアとは、結局は「仕事を続けていくこと」そのものなのです。（第6章85P）

いわゆる「女性の仕事」とみなされているものは、それが女性によってなされているというだけで軽く見られる傾向があります。（第7章101P）

人並みはずれて仕事のできる人にはどんどん仕事の量が増えるのですが、それにふさわしい処遇がされるとは限りません。こんな場合、あなたが取るべき行動は新たに仕事が増える度に、見返りを要求することです。（第8章116P）

多くの人が仕事は同じことの繰り返しでつまらないと不平を述べています。しかし、本当のところ、ほとんどの仕事はそうなのです。仕事に興味を持ち続けるためには長期的な目標を設定して、とにかく働き続けること。これにつきるのです。(第11章165P)

ビジネス・ゲームとは、見ているだけではそのおもしろさは決してわかりません。参加して初めてその醍醐味がわかるというゲームです。(終章184P)

どんな仕事をするにせよ、あなたはかなり長い時間を仕事のために費やさなくてはなりません。それなら、全く見返りのない観客の立場でいるよりは、スリルもチャンスもある参加者の立場になった方がずっと楽しく、意義のある人生が送れるのではないでしょうか? (終章185P)

◆組織の中でどう行動すべきか迷った時に

企業の中のゲームに勝ち残るためには、仕事をこなす能力以前に、状況を判断でき

る力、情報を収集する力が必要なのです。（第1章21P）

ピラミッドの中に生きている人間（あなたはまさしくその一人です！）は、自分の属する階級の仕事をきちんとこなしてこそ評価されます。誰か別の人の仕事をしてあげても、それはあなたの仕事の評価にはなりません。（第2章29P）

あなたが、ここでまず身につけなくてはならないのは「組織の中では、権威に向かって口答えすることなく、従順に行動しなくてはならない」ということです。（第2章32P）

軍隊においては上官の命令や権威に逆らうことは罰則の対象となります。ビジネスの社会においては明確な「罰則」はありませんが、「命令の鎖」の秩序を無視することは、ある役職が持っている権威と重要性を否定することを意味します。（第2章34P）

オフィスの中では、効率を求めるよりは、秩序を優先した方がよりよい結果を生む

ことが多いといえるのです。（第2章38Ｐ）

いったん、チームの中で自分のポジションが決まったら、そこで大切なことは「自分の持ち場をきちんと守る」ということです。

「私は昇進が遅い」「上司に認めてもらえない」という不満を述べる人の仕事の状態をよく聞いてみると、自分がやるべき仕事をきちんとこなしてもいないのに、他人の仕事にまで手を出したりしています。（第3章49Ｐ）

自分に与えられた仕事以外の仕事をすれば、もっとすばらしい仕事にありつけるかもしれないと夢想して、目の前の仕事をきちんとこなさないのは、ビジネス・ゲームにおいては「劣ったプレイヤー」と見なされるのです。（第3章49Ｐ）

組織の中で目指すポジションにつくために必要な資質は、まず忍耐強さ、周到さ、そして状況を正しく見極める力です。（第6章74Ｐ）

特権を使わないのが奥ゆかしいという考え方はビジネス社会では通用しません。使える特権はその性質を理解してできるだけ有効に使うこと。このことがあなたの地位や権限を守ってくれるのです。（第10章133P）

「組織の中で働く」ということは、「常に周囲と競争する」ということなのです。あなたが自分の仕事に没頭すること自体は否定しませんが、それだけにとどまっていたら、いつの日か必ずそのツケが回ってきます。組織で働くためには、あなたひとりで完結することよりも、周囲をじっくり観察すること、そして周囲からどう見られているかを的確に知ることが大切なのです。（第10章143P）

組織の中で仕事を続ける限り、あなたは意識的に他のセクションの人々と個人的なコンタクトを持つべきです。どこに新しい仕事が待っているかは誰も分かりません。（第11章164P）

◆会社の本質を知りたい時に

近代的な企業では、天才的なリーダーが必要なわけではなく、よく訓練されたプレイヤーが必要なのです。これは言葉を換えれば、生まれながらの経営の才能を持つ人よりも、実際の仕事を通じて着実にノウハウを身につけていった人が求められるということです。（第6章72Ｐ）

企業は確かに組織ではありますが、一方では非常に人間的なものです。なぜなら、組織を動かしているのは人間だからです。あなたの信頼できないような人間が管理職になる会社なら、おそらく働き心地は決してよくはないでしょう。また、業種の将来についても、これから発展する部門を持っているか、それとも衰退していくような部門しかないのかを見極めて、その会社で働き続けるかどうかを常に考えていなくてはなりません。（第7章90Ｐ）

会社というものは、あることに非常に精通していても他のことにはまるっきり知識がない人間よりも、そこそこにいろいろな仕事に通じている人間の方が重宝であると考えるからです。逆にいえば、いろいろな部署を異動する人材は、それだけ会社にとって重要な存在であるのです。（第7章98Ｐ）

「行き止まり」とはひとつの仕事にあまりに長くとどまることです。経営側から見ると、ひとつの仕事にあまり長く張りついている人間は、昇進の対象からはずれてしまいがちなのです。「エキスパートになりすぎる」ということは、決して仕事の可能性を広げることにはなりません。（第7章102P）

黙っていたら「私はこれで満足しています」という意思表示になってしまうのが会社です。うるさがられても、自分の欲しいものを手にいれた方が、結局は勝ちなのです。（第7章105P）

ビジネスの目的は会社の利益を上げ、自分の収入を増やすことです。あなたは会社から給料を「もらっている」と感じているかもしれませんが、これは実際は「企業活動で生じたお金を分け合う」ということなのです。（第8章109P）

◆自信を失いかけた時に

失望、落胆、困惑、非力、批判などにどう対応するかを学ぶことは、人生の上で欠

かせない技術なのです。（第3章46P）

よく「女性は管理能力があるか」ということが問題にされますが、これは、「あるか」というよりは「その能力を育てる機会に恵まれているか」を問題にすべきです。なぜなら、マネジメントとは、何かはっきりとした形のあるものではなく、仕事を通じて身につけていくひとつの「プロセス」だからです。（第6章71P）

一般的に、女性は幼い頃から保護され、自分自身でものごとを判断する機会を制限され、誰かを頼るようにしむけられてきました。しかし、大学にいる間にも、あなたにその意思さえあれば、自立への準備を進めることができるのです。（第9章129P）

これまで、女性の多くは無力であることを「典型的な女らしさ」と思い込んでいました。女性たちは、やさしく、親切で、従順であるということがあるべき姿だと思ってきたのです。（第11章154P）

「アサーティブであること」とは「自分の欲しいものをしっかり手に入れる。ただし、相手に反感を与えずに」ということを理解することです。「欲しいものを手にいれよう」とするあまり、必要以上に攻撃的に振舞うのは賢くありません。（第11章155P）

あなたは自分の仕事上の役割を恐れることはありません。ただ、それを「演じる」ことができればよいのです。（第11章156P）

あなたは、自分に与えられたチャンスを恐れず、十分に利用する態度を貫くことがゲームに勝つ秘訣です。（第11章156P）

◆転勤、昇進、転職などで迷った時

あなたが仕事をしていく上で最も重要なことは、直属の上司との人間関係です。彼（女）とうまくやっていくことが、あなたの将来を決めるといっても過言ではありません。それが非常に難しいという場合は、思いきって転職をしてしまうのもひとつの

方法です。（第2章34Ｐ）

女性は、一般的に、スペシャリストを目指し、転勤や異動のあるマネジメントの部門を敬遠する傾向がありますが、会社の全体を見るためには、転勤も積極的に引き受ける態度が必要です。（第6章82Ｐ）

「あなた」が意思決定に携わらない場合、「あなた以外の誰か」がその仕事をするわけです。そうなった時、その人は、あなたが我慢できないほどの無能な人間である可能性だってあるのです。そのような人の下であなたは黙々と働きたいのですか？（第6章83Ｐ）

新しい仕事を見つけるまでは決して現在の会社を辞めないこと。会社にいることのメリット（福利厚生など）を利用しつくしてからでも遅くありません。（第7章96Ｐ）

異動と昇進は新しい仕事を学ぶチャンスです。将来性のある社員に対しては、異動と昇進はつきものです。異動の時期はしばしば気紛れだったりするものですが、これによって、社員は新しいことに挑戦したり、異なる職場環境に慣れる努力をしたり、大きくなった責任範囲を自分のものとしたりという機会を得ることができるのです。（第7章103P～104P）

◆男性と働く時に

女性は、ビジネス・ゲームにおいてはアマチュア選手とみなされています。（中略）したがって、基本的に男性は女性を信用してはいないと思ってよいでしょう。しかし、男性にもひとつ大きな弱点があります。それは「女性も男性と同等の思考能力を持っている」ということを信じられないということです。（第5章61P）

男性たちは、よく「女は分からない」と言いますが、これは、考えようによっては女性にとってはありがたいことかもしれません。だって、考えてもみて下さい。こちらは相手のことが十分分かって、相手はこちらのことが分からないとしたら、断然こちらが有利ではないでしょうか？（第5章62P）

女性は、直感を理性よりも下に位置するものと考えて「こんなこと言ってもどうせだめかも……」とついひっこめてしまいがちですが、そんな必要はありません。あなたの意見を通す時に「こんな予感がするのですが」といった言い方で、直感を生かすこと。また、十分理論的に根拠がある場合も、あたかも「女の直感」であるかのようにしておくことも作戦としては賢いでしょう。要は、男性は女性がたとえ男性以上に理性的論理的に行動することがあってもそれを認めたくないのです。（第5章63P）

ビジネス・ゲームとは、最終的には男性VS.女性という構図になります。男性たちは共同戦線を張って、女性を締め出そうとして、彼女たちを従来の「観客」の立場、つまり、母親や妻、秘書の役目へ追いやろうとするのです。（中略）――つまり、女性は後からやってきた侵入者であり、男性は一致団結してそれを排除するという構図になるのです。（第5章64P～65P）

一般的に、男性は女性が女性同士で固まることを好意的には見ないという傾向があります。会社の中で、女性が何人か寄り集まっているとすぐに「ご婦人たちが集まって何をしているの?」といったからかい半分の声がかかる場合も多いことでしょう。

（第10章１４７P）

あなたがセックスを仕事に利用しようと考えているのなら、それは非常に危険です。なぜなら、セックスがらみの問題は、あなたにとっては失うものが大きく、相手の男性はなにも失わないという可能性が極めて高いからです。（第13章１７４P～１７５P）

セックスに近寄らないようにすることは、あなたが補助的な仕事をしている存在ではなく、プロフェッショナルであることのひとつの証となるのです。（第13章１７８P）

◆昇進を望む時に

上級の管理職は、優秀な秘書や中間管理職ほどには激しく働いたりしません。あなたは、こき使われる立場になりたいですか？　もし「そんなことはごめんだわ」と思ったら、あなた自身が管理職をめざすべきなのです。（第6章73P）

ここでひとつ覚えておくべきことは、あなたの「野心」はわざわざ人に言って回る必要はないということです。もし、あなたが、昇進への意欲を明らかにしたら、おそらく周囲の男性からは恐れられ、笑い物にされる可能性が大いにあります。ビジネス社会では男性は誰もが野心を秘めているものの、それを口には決して出さないというのが鉄則です。（第6章74P）

あなたが昇進を望んだ時から、周囲の人間はライバルとなります。しかし、ライバルにあからさまな対抗意識を燃やすのは、賢くありません。ここで行なうべきことは2つ。ひとつは、あなたの直接のライバルとなりそうな男性社員がどう行動しているかをじっくり観察すること。そして、もうひとつは同世代の女性の同僚がいたら、早速手を結んでお互いの弱点を補うような努力をすることです。（第6章83P）

社内で一番最初にチェックすることは、昇進した男性はどのような行動を取ったか、また昇進を望む男性はどのように行動しているかを知ることです。男性は、女性をまともなライバルとは見なしていませんから、自分の抱えている問題や将来の夢を語って聞かせることがあります。そんなチャンスに巡り合ったら、うまく聞き役に回ってしっかり情報を手に入れることです。（第6章84P）

昇進ゲームはポーカーと似ているということです。感情的に行動してはおそらく負けてしまいます。あなたが取るべき行動は、冷静になって社内の命令系統を理解した上で賢く行動することです。（第7章104P）

◆何かを学びたいと思った時に

もし、あなたが勉強したい内容やその理由がはっきりしていないまま、学校に戻りさえすれば何とかなると思っているのなら、それは大変危険というべきでしょう。何の目的もなく学歴を持つことは、ビジネス社会では全く意味を持たないのです。（第8章106P）

管理職が見る風景は部下の見る風景とは異なります。情報量や知識が異なると考えることが違っているのは当然でしょう。これまでも述べてきたように、あなたは企業という軍隊の中にいるのです。軍隊ではポジションが上にいる者がその下にいる者に対して何をすべきかを決めるのです。スポーツチームにはコーチがいて、どんな形でどんなトレーニングをしたらよいかを教えてくれます。つまり、あなたにとって何が必要かを決めるのはあなた自身ではなく、あなたの上司なのです。（第８章１０８P）

ビジネス社会での成功は、実際の仕事を通じて時間をかけて覚えることでしか手に入らないものです。よく女性は「より高い学歴を手に入れれば、よりよい仕事が手に入る」という幻想を持ちがちですが、これは全く正しくありません。大学卒の学歴はないよりはましですが、それ以上の価値を持つものではないということをまず最初に知っておくべきでしょう。（第９章１１８P～１１９P）

もし、あなたがこれから大学に入学する学生で、何を勉強してよいかわからないという場合は、何でもよいから「お金」に関連したものにしておけば間違いがありません。（第９章１１９P）

「就職のために大学に行くわけではない」などという人もまだまだいるようですが、そういう人に限って、将来についてのビジョンを持たないまま学生時代を送るものです。そして、就職活動の時期になってあわてて企業の研究を始めるというおろかなことをしがちなのです。大学は学問の場であることは一面事実ですが、ほとんどの学生は学者になるわけではありません。早い時期から卒業後の実社会で何をするかを考えるのは、決して無駄にはなりません。（第9章121P〜122P）

◆お金に関して迷いを感じた時に

女性は、一般的にお金というものに対して無意識のうちに「汚いもの」「自分は直接タッチしないもの」と感じているようです。お金に対して興味を持ったり、執着するのは女らしくなく、下品なことであるという思い込みはかなりの浸透度を見せています。あなたは、このような思い込みからはぜひとも解き放たれなくてはなりません。（第8章110P）

何よりも重要なことは、お金のセンスは仕事を通じて育つということです。もし、あなたに予算編成や販売予測、コスト管理といったお金に直接関係のある仕事をするチャンスが巡ってきたら、積極的に引き受けるべきです。この種の仕事はお金のセンスを身につけるためには絶好の機会といえるでしょう。（第8章111P）

あなたは、企業にとっては部品です。あなたの年収はすなわちあなたの値段になるのです。その時に覚えておかなくてはならないことは、あなたは、できるだけ高い値段で自分を会社に売り込まなくてはならないということです。（第8章112P）

◆基本的な仕事の方法について

あなたの机の上は常にきれいに整理されていなくてはなりません。何か新しい仕事が入ってきた時に、すぐに取り掛かれるような状態になっていなくてはならないのです。（第10章136P）

基本的にオフィスの仕事は家事と似ています。つまり「やってもやっても終わりがない」ということなのです。したがって、優先順位にしたがって、毎日できるだけの

ことをするしか仕事をこなす方法はないのです。全てのことを片付けようなどとは決して思わないことです。（第10章138P）

家庭と仕事の両立は働く女性にとって普遍的な問題とされていますが、実はこのことが「女性の問題」と限定されていること自体に、私たちはもっと疑問と怒りを持つべきではないでしょうか？（第10章150P）

管理職になるということは「仕事そのものをうまくこなす」ということではなく「いかに他人に仕事をさせるか」ということです。出世した女性は、あまりに有能であったために、何でも自分でやろうと思い、部下に仕事を回さなかったり、あくまでも自分の上司の承認を得ようとしたりします。（第11章157P）

文庫版によせて

勝間和代（経済評論家）

私が15年前に読んで、人生を助けてくれた本、『ビジネス・ゲーム』がとうとう復刊し、本当に感無量です。この本を手に取った私は当時、まだ24歳でした。その時に手に取った書店の場所も、その書店の中のどの本棚にあったかも、今でも鮮明に思い出せます。それくらい、私にとっては衝撃的な本でした。

24歳というと、社会人に成りたてでしたが、本当に周りと調和できず、何かが違う、違うと思いつつ暮らしていた頃でした。また、私はたまたま中学と大学が共学、高校が別学だったので、その時に感じていた男性と女性との違い、ゲームのルールの違い、リーダーシップの取り方、そして、そのことに対する違和感、男性に対して溶け込めない違和感がありました。

そのような悩み、疑問が、この『ビジネス・ゲーム』に、すべて、きれいに説明されていたのです。ああ、そうなのか、そうなのかと腹落ちする感覚です。もちろん、いろいろな角度から男性の上司は私にそのことを説明しようとしてくれていましたが、同性でないので、どうも最後の最後まではピンと来ません。また、残念ながら、当時、女性の上司はほとんどいませんでした。

自分に何がかけているのか、そのミッシング・リンクがはっきりと体系だって、この本には記されていたのです。おかげさまで、この本を手に入れてから、私は社会人生活が一変しました。まず、ビジネスがゲームであるということを理解しました。そして、そのルールを「軍隊」のしくみということで理解し、「命令の鎖」を意識するようになりました。

「命令の鎖」を意識することで、自分がどの仕事なら引き受けていいのか、どの上司と一緒に仕事をすべきなのか、迷ったときにはどこに自分の進路を決めるべきなのか、明確になりました。「ビジネス・ゲーム」を知ることで、「ガラスの天井」にあたったり、あるいは、迷路に迷い込むことを避けられるようになったのです。

そして、著者ベティ・L・ハラガンは、「X要素」、すなわち、企業ポリティクスの重要性を冒頭から語ります。実際、男性文化であることに対して異を唱えることは簡単で、そこに刃向かうこともできます。しかし、その代償は、ハラガンが繰り返し事例で説明するとおり、とても高く付くのです。

さらに、著者は、男性は原則として、女性に対して非好意的であることを前提に戦略を組めと説明します。基本的には、男性たちは自分達の世界に女性が入ってくることが不愉快だと説くのです。

男性は、あからさまに女性差別をしていることは、教養ある男性であればもちろん口にしません。しかし、無意識の差別、あるいは空気のような差別は厳然として存在するのです。

例えば、服装です。私は、コンサルティング会社に勤務していたころ、女性の上司から、自分よりも2年弱ほど遅く入社した女性コンサルタントに服装の注意をする役目を言い渡されました。この女性の新入社員は、研修期間に白いワンピースやミニスカートなど、明らかに職場では浮いてしまうような服装をしてきました。

問題は、その服装がすてきかどうかではないのです。要は、実力がまだ私たちにとってわからないうちに、周囲から浮き立ってしまって、仕事をするときに支障になることが問題なのです。その時には、女性上司と二人で、不本意かもしれないけれども、ダークスーツを着ること、スカートの長さを長くすることなどを説明しました。職場は戦場であり、会社は軍隊なのですから、私たちが軍服以外を着るということは、軍への参加意欲を疑われてしまうのです。

また、せっかく軍に参加できたとしても、どうやって「塩漬け」のポジションにならないようにするか、という工夫が必要です。この本の中では、繰り返し、「スタッフ職になるな、ライン職になれ」ということを著者は訴えます。すなわち、支援部隊に回されることで最前線での活躍ができないのです。

私は支援職という仕組みを、「他者に自分の評価を預けてしまう仕組み」だと解釈しています。なぜなら、ライン職であれば、売上や製品開発、コスト削減といった明確な外部からの指標によって評価できるのに、秘書職や社内報の作成、一般事務職など内部向けの仕事であると、その評価は内部からの評判しかあり得なくなってしまうのです。

結果、関係者や上司のちょっとした意向に敏感にならざるを得ず、リスクをとれなくなってしまいます。私はこの本を読んでからずっとライン職に止まることを意識して仕事をしてきましたが、20代の後半で、成り行きから3ヶ月ほど、スタッフ職（社内向けリサーチ職）をしていたことがあります。

そして、この時の衝撃的な体験は、今でも忘れられません。もちろん、それは私がライン職とスタッフ職の両方を同じ組織で経験したからわかることなのですが、まず、スタッフ職においては能力の発揮の機会が著しく限られるのです。しかも、コーチングなどがほとんど行われず、職場の中でほとんどは捨て置かれて、そこで、どんなに努力をしてもうまくいかないと「やり方が悪い」という形で自己責任ということで追及されます。

ほとんどやり方も、指導もないまま、実績が出ないと「あなたには失望した」というメッセージが上司から発せられ、メンタル的にもおかしくなりそうでした。幸い、私は『ビジネス・ゲーム』を熟読していたので、どこに自分が迷い込んでしまったのか、何を間違ったのか、明確に理解ができましたので、早々に転職活動を社内外で行い、無事、ライン職に復活することができましたが、あの「努力をしても報われない環境」を思い出すと今でもぞっとします。

そして、この本の中ではシンボルの重要性を説きます。エグゼクティブ向けの食堂で食べる権利があるのに、一般社員向けの食堂を利用したり、デスクでランチを食べるのは愚の骨頂だと説きます。

小さなことなのですが、例えば会議室で前の方やまん中に座る機会があったら堂々と座るべきなのです。発言もそれに見合ったものをしていかなければなりません。さらに、オフィスにちょっとした小物を置くときにも、それが女性だということでなめられないよう、配慮して机を片付け、全体で能力をアピールする必要があります。

そして、化粧はナチュラルに、香水は避け、ドレスでなくツーピースを着ること、ポケットのある服を着て、歩きやすい靴を履き、ハンドバッグは持ち歩かないことを勧めます。こんな当たり前のことも、特に日本の職場では、誰も教えてくれないのです。

私はこの本を読むことで、どの会社でも同期入社の男性に比べて特にハンディを負うことなく、出産・育児休暇取得にもかかわらず、比較的早い出世を遂げ、仕事上のチャンスも幅広く大きくもらってきました。そのことにより、さまざまな知見が拡がり、新しいフレームワークや知識を取得することができ、現在、さまざまな試みにチャレンジできるだけの人脈・資金・知恵を蓄積することができました。

しかし、もしこの本がなかったとしたら、早々に女性特有のわなにつかまり、せっせと仕事をしても報われず、その理由がわからずに悶々として、「人は人、私は私」といったような狭い世界に逃げ込んでいたことでしょう。

幸い、男女雇用機会均等法が施行されて早20年超、さまざまな会社が女性をもっと活用しなければならないということに認識が高まり、追い風が吹いています。この古くて新しい本をバイブルに、その本質を見抜き、自分なりのアレンジを加えて、適切な振る舞いを重ねていけば、かならず、読者のみなさんが楽しく、そしてわかりやすく、ゲームで活躍できるようになるはずです。

当事者である若い女性はもちろんのこと、すでにこのフェーズを通り過ぎてしまった女性は後輩に、男性上司は自分の女性部下に勧める一冊として活用いただければ、これほどうれしいことはありません。

男性の働き過ぎの解消は女性の活躍から生まれるのですから。そして、長時間労働が少しでも緩和し、より多くの子どもが生まれ、社会でワークライフバランスが一歩でも二歩でも前進することを願って、この本を推薦します。

本書は『ビジネス・ゲーム』(一九九三年/WAVE出版)を、加筆修正のうえ文庫化したものです。

知恵の森
KOBUNSHA

光文社

ビジネス・ゲーム
誰も教えてくれなかった女性の働き方

ベティ・L・ハラガン 著
福沢恵子《ふくざわけいこ》　水野谷悦子《みずのやえつこ》 共訳

2009年　1月20日　初版 1 刷発行
2025年　10月10日　13刷発行

発行者 — 三宅貴久
組　版 — 萩原印刷
印刷所 — 萩原印刷
製本所 — ナショナル製本
発行所 — 株式会社 光文社
東京都文京区音羽1-16-6 〒112-8011
電　話 — 制作部(03)5395-8125
お問い合わせ
https://www.kobunsha.com/contact/

ISBN978-4-334-78522-2 Printed in Japan

78349-5
aあ8-1

赤瀬川原平《あかせがわげんぺい》

鑑賞のポイントはどこか

赤瀬川原平の名画読本

早足で見る。自分が買うつもりで見る。自分でも描いてみる。「印象派の絵は日本の俳句だ」「ゴッホが陰に〝色〟をつけた」など十五人の代表作に迫る。（解説・安西水丸）

820円

78505-5
tい4-1

池波正太郎《いけなみしょうたろう》 編

酒と肴と旅の空

「単なる食べ歩きなどに全く関係がない文化論」と編者・池波正太郎が表わす世界の美味と酒をテーマにした名エッセイ二十四編。開高健と阿川弘之の対論「わが美味礼讃」も収録。

740円

78217-7
aい3-1

伊東《いとう》　明《あきら》

ビジネス・人間関係を制す最終兵器

「聞く技術」が人を動かす

「話術」よりも「聞く技術」。カウンセリング、コーチング、社会心理学、コミュニケーション学に裏付けされた技術をすぐに使えるように解説した本書で、「話を聞く達人」に。

560円

78591-8
aい3-3

伊東　明

人を惹きつけ、動かす「ビジネス心理学」

「人望」とはスキルである。

人望のあるなしは、才能や性格によって決まるのではない。誰でも学び、伸ばすことのできる技術（スキル）なのだ。人を惹きつける心理学的テクニックを、豊富な例で指南。

740円

78376-1
bい9-1

岩城《いわき》　宏之《ひろゆき》

美を味わえる子どもに育てる

岩城音楽教室

「今日のピアノの音はきれいね」「今日は楽しく聞こえるわ」。母親が子どもを褒める言葉はそれでいい。ワクをはずして、もっと楽しもう！世界的指揮者の音楽実践哲学。

600円

78572-7
tう1-1

上原《うえはら》　浩《ひろし》

純米酒を極める

これほど美味く、これほど健康的な飲み物はない―。我が国固有の文化である日本酒はどうあるべきか。『夏子の酒』のモデルとしても著名な「酒造界の生き字引」による名著。

680円

78392-1
cた12-1

橘田《きった》　規《ただし》
髙松《たかまつ》　志門《しもん》

小さくても老いても飛ばせる
非力のゴルフ

小柄であまり腕力のない日本人プロゴルファーでも海外で通用するのはなぜか？ グリップ、アドレスからフィニッシュまで、日本人向きの打法があるのだ。

540円

78608-3
tさ4-1

齋藤《さいとう》　利也《としや》
小原《おはら》美千代《みちよ》

幸福王国ブータンの智恵

「自分の幸せよりみんなの幸せ」というチベット仏教の教えをもとに、近代化を急がず、自然環境や伝統文化を守ってきたブータン。国民の97％が「幸福」と答える国の素顔に迫る。

660円

78628-1
tさ5-1

酒井《さかい》　穣《じょう》

論理・直感・統合 ビジネスに生かす3つの考え方
新版 これからの思考の教科書

もうロジカル・シンキングだけでは生き残れない。論理とひらめきを「統合」するために必要なこととは？ 知的創造力を真に高めるための〈新しいビジネス思考〉を解説。

720円

78497-3
tし1-2

白洲　正子

選ぶ眼　着る心
きもの美

「粋」と「こだわり」に触れながら、審美眼に磨きをかけていった著者。「背伸びをしないこと」「自分に似合ったものを見出すこと」。白洲正子流着物哲学の名著。（解説・髙田倭男）

700円

78123-1
cめ1-4

タカコ・半沢《はんざわ》・メロジー

はじめてでも、リピーターでも
イタリアのすっごく楽しい旅
文庫書下ろし

旅行ガイド本には書いてないことばかり起こる国イタリア。だから感動に遭遇できる。イタリア暮らし十六年の筆者が、もっと楽しく、さらに美味しくなるイタ旅をアドバイス。

500円

78223-8
cな1-1

中野《なかの》　雄《たけし》
ほか

スジガネ入りのリスナーが選ぶ
クラシック名盤この1枚

プロの演奏家、制作者、評論家から、ジャーナリスト、アマチュア音楽家、実業家、教員、普通の会社員まで、「生きる糧」として聴きぬいてきた選りすぐりの名盤。

1400円

78560-4
tひ2-1

マーク・ピーターセン

日本人が誤解する英語

「日本人英語」と長年つきあってきた著者が、ネイティブの立場から、日本人が陥りがちな英文法の誤解と罠、そして脱却方法を懇切丁寧に解説。『マーク・ピーターセン英語塾』改題。

760円

78593-2
tひ2-2

マーク・ピーターセン

名言・珍言で学ぶ「ネイティヴ感覚」

マーク・ピーターセンの英語のツボ

日本人が特に苦手とする英語表現にスポットを当て、有名人の名言・珍言や小説・映画の名作をネタに、楽しく解説。ネイティヴに通じる英語表現の“ツボ”を伝授する。

700円

78521-5
tひ1-1

ビートたけし
村上《むらかみ》 隆《たかし》

ツーアート

「アートは『ゲーム』だ」村上隆。「オネーチャンを口説いてるようなもん」ビートたけし。日本よりも海外での評価が高い２人の天才アーティストが語り合った世界に通じる「芸術論」！

680円

78562-8
tふ1-2

藤巻《ふじまき》 健史《たけし》

知識ゼロでわかる実践・経済学

新版 マネーはこう動く

不透明な世界経済の中で、目先の情報に惑わされないための金融・経済の基本知識を、「伝説のディーラー」がわかりやすく解説する。実践的な思考法が身につく画期的な入門書！

700円

78616-8
tふ1-3

藤巻 健史

個人で使えるデリバティブ

新版 マネーはこう掴《つか》む

ＦＸ、日経２２５先物、債券先物、オプション…。デリバティブは難しくない！ 代表的な取引におけるプロの儲け方の基本を、個人投資家向けに分かりやすく解説する。

650円

78485-0
tほ2-1

宝彩《ほうさい》 有菜《ありな》

15分でできるココロとアタマのストレッチ

始めよう。瞑想

文庫書下ろし

瞑想は宗教ではなく心の科学である。上達のコツは黙考するのではなく、無心になること。心のメンテナンスから、脳力アップまで驚くべき効果を発揮できる。

620円

78589-5
tほ3-1
保坂《ほさか》 俊司《しゅんじ》 監修
図解とあらすじでよくわかる「聖書」入門
文庫書下ろし
そもそも「新約」「旧約」は何が違うのか。「バベルの塔」や「ノアの箱舟」はどんな物語だったのか。常識として知っておきたい聖書のキーワードを、わかりやすく解説する。
760円

78329-7
bま4-1
益田《ますだ》 ミリ
お母さんという女
文庫書下ろし
◎写真を撮れば必ず斜めに構える◎小さい鞄の中には予備のビニールの手提げが入っている。身近にいるのに、よく分からない母親の、微妙にずれている言動を愛情深く分析。
560円

78346-4
bま6-1
町田《まちだ》 貞子《ていこ》
娘に伝えたいこと
本当の幸せを知ってもらうために
どうして家事を面倒だと考えてしまうのですか？　家族が一緒に食卓を囲まなくてよいのでしょうか？　温かいおばあちゃんのまなざしで語りかける。幸せとは何かがわかる本。
580円

78621-2
tむ1-4
向谷 匡史
人はカネで9割動く
成功者だけが知っている「生き金」のつかい方
同じ1万円でも、つかい方次第で10万円の価値にできる。《生きたお金》のつかい方を知れば、「人を動かす」ことさえ可能になるのだ。表社会・裏社会の成功者に学ぶ、リアルな金銭術。
720円

78587-1
tも2-1
本山《もとやま》 勝寛《かつひろ》
「東大」「ハーバード」ダブル合格16倍速勉強法
高3春の「合格可能性なし」判定から成績を急上昇させ東大に現役合格。さらにはハーバード大学院合格！　独自に編み出した4つの要素を「掛け算」で働かせる画期的な方法。
660円

78566-6
tも1-1
もりきあや
おひとり奈良の旅
文庫書下ろし
奈良生まれ、奈良育ちの著者が県内各地を歩き徹底取材。食べる、泊まる、観る、買う、拝む、感動する―古都・奈良の魅力のすべてを網羅した、街歩きガイドブック。
700円

78443-0
bも5-1

森下《もりした》 典子《のりこ》

ルネサンスの天才彫刻家を追って

前世への冒険

「あなたの前世はルネサンス期に活躍したデジデリオという美貌の青年彫刻家です」。イタリアで前世を巡る不思議な旅のルポルタージュ。『デジデリオ』改題。（解説・いとうせいこう）

700円

78203-0
aよ3-1

養老《ようろう》 孟司《たけし》
甲野《こうの》 善紀《よしのり》

日本人にとって「身体」とは何か

古武術の発見

宮本武蔵、千葉周作、真里谷円四郎…伝説の超人・天才たちの身体感覚が手に取るようにわかる。「古武術」の秘密と、現代人が失ってしまった「身体」を復活させるヒント。

600円

72422-1
aよ2-1

横尾《よこお》 忠則《ただのり》

神の贈り物を歓ぶ

名画感応術

文庫オリジナル

絵は特別な人にしか理解できないのか？ 知的に認識することが必要なのだろうか？ ピカソ、ゴッホらの名画を通じて、絵画を〝感応〟するための手引を贈るエッセイ。

880円

78607-6
aよ4-2

吉本《よしもと》 隆明《たかあき》

家族のゆくえ

子育ての勘どころとは？ 夫婦のあり方とは？ 老いとは何か？ 晩年の著者が、太宰治の「家族の幸福は諸悪のもと」という言葉を契機に、現代家族の諸問題を深く考察する。

660円

78502-4
bり2-3

李家 幽竹

幸せを呼ぶインテリア風水

家の選択から、方位で割り出すメインカラーのチェック（「座山」）、家具・小物の配置、掃除の仕方、運気が悪い場合の対処法など、幸運を呼び込むための住まいづくり。

680円

78611-3
tわ2-1

渡辺《わたなべ》 玲《あきら》

おいしい やさしい ヘルシー

新版 誰も知らないインド料理

本場のカレーはヘルシーで胃にもたれない！長年研究を続けてきた著者がインド料理の基本を丁寧に解説。スパイス使いのコツから本格カレーの作り方まで、レシピも満載。

900円